Gran libro de RECETAS Afrodisíacas

Dirección editorial:
 Ana Doblado

Maqueta, portada y parte de los textos e ilustraciones realizados por
Proforma Visual Communication S.L. bajo la dirección e instrucciones de
Servilibro Ediciones S.A. Derechos de explotación, distribución y
comunicación pública cedidos por Proforma Visual Communication S.L.
a Servilibro Ediciones S.A.

Textos y material gráfico complementarios:
 Equipo de redacción de Servilibro
Corrección de textos:
 Sara Torrico

Gran
libro de **RECETAS**

Afrodisiacas

SERVILIBRO

Sumario

Los afrodisiacos

Los alimentos afrodisiacos

Los otros afrodisiacos

Las recetas

Aperitivos

Primeros

Segundos

Postres

Bebidas

Los afrodisiacos

Historia

La palabra *afrodisiaco* proviene de Afrodita, la diosa griega de la belleza, el amor y el sexo. Su nacimiento es uno de los más curiosos de la mitología griega: Cronos cortó los genitales de su padre, Urano, y los lanzó al mar; al caer, comenzaron a formar espuma y de ésta nació Afrodita ya adulta.

Se utiliza el término *afrodisiaco* para denominar todo aquello que potencia la estimulación sexual, ya sea comida, fragancia u objeto. Los afrodisiacos pueden incrementar la libido, aumentar la potencia sexual o bien intensificar el placer.

Todas las parejas deben estimular constantemente su relación erótica a través del juego amoroso con el fin de despertar la libido y mejorar su unión, y los afrodisiacos se presentan como una excelente arma para lograrlo.

La asociación de los afrodisiacos principalmente con la comida se debe a que gula y lujuria son dos pecados que siempre han ido de la mano; los alimentos que se ingieren proporcionan la energía que el cuerpo humano necesita para desempeñar correctamente todas sus funciones, y la sexual es una de las que más energía precisa. Algunos alimentos tienen una estructura química parecida a la de las hormonas sexuales producidas por el organismo y, al ingerirlos, se «engaña» al cuerpo, que reacciona excitándose sexualmente; otros poseen elementos que favorecen el buen funcionamiento de los órganos sexuales; y un tercer grupo estimula el sistema nervioso central actuando como desencadenante secundario de la excitación y, en algunos casos, mejoran la circulación sanguínea, lo que revierte en un mejor funcionamiento del órgano de Jacobson o vomeronasal, el encargado de captar las feromonas de los demás y de conducirlas al hipotálamo para iniciar el proceso de excitación y atracción sexual.

El poder de los afrodisiacos se conoce desde antiguo y el listado de ingredientes potenciadores de la libido ha perdurado durante siglos. Aunque sus efectos no están contrastados científicamente, es cierto que a un gran número de personas les ha dado resultado. Su utilización no sólo surte efecto al ingerirlos, sino que la elección de los más adecuados y su preparación ayudan a alimentar la fantasía y favorecen su éxito.

Las primeras referencias a los afrodisiacos se remontan a papiros egipcios de los años 2200 y 1700 a. C., e incluso el *Antiguo Testamento* habla de ellos. Todas las culturas se han preocupado desde siempre de buscar alimentos que potencien la capacidad sexual y, a la vez, seduzcan a la pareja; así, no es difícil rastrearlos en los libros de amor de la India, en obras de la Antigua Grecia o en recetas árabes.

Los primeros afrodisiacos eran plantas o alimentos de forma similar a los genitales o que tenían un olor parecido. Más adelante se creyó que todo alimento nuevo, proveniente de lugares exóticos, poseía una fuerte carga erótica.

En la Edad Media, sobre todo, la lista de afrodisiacos se llenó de elementos que parecían sacados de un tratado de brujería: cuerno de rinoceronte y ciervo, pezuñas de macho cabrío, grasa o hígado de tigre, hormigas negras, sangre de serpiente, ámbar gris (obtenido de las ballenas), cantaridina (sustancia altamente peligrosa procedente de la maceración del escarabajo llamado mosca española), mandrágora, etc.

A partir del Renacimiento el conocimiento científico empieza a adquirir relevancia y se comienza a aclarar la supuesta veracidad de las creencias populares, aunque poco se ha estudiado el efecto de los afrodisiacos, puesto que el sexo durante muchos siglos fue un tema tabú para la ciencia. Además, es muy difícil medir todo lo relacionado con la psicología afectiva de los humanos, así que la ciencia se ha centrado en el estudio de las sustancias nocivas de un gran número de ingredientes considerados afrodisiacos, para evitar la intoxicación y la muerte de quienes las consumen; éste es el caso de la mandrágora o la cantaridina.

Las fragancias

Una velada con tintes apasionados debe cuidarse con esmero desde el principio. Es fundamental elegir con cuidado y mimo los ingredientes que van a conformar el menú, pero igual de importante es seleccionar los aromas y flores que van a perfumar y decorar las estancias en las que, luego, se van a reunir los amantes.

Hay fragancias que sirven para despertar la pasión y conseguirlo es un arte al alcance de todos gracias a la aromaterapia y al empleo de determinados aceites esenciales.

La aromaterapia es un arte milenario que se usa desde el Antiguo Egipto en medicina y cosmética para mejorar, a través del olfato y con ayuda de la esencia de plantas medicinales, el estado emocional, el insomnio, la memoria o la respuesta sexual de quienes lo necesitan.

Los egipcios extraían las esencias de las plantas calentándolas en recipientes de arcilla; por su parte, los griegos mejoraron el método gracias al proceso de destilación, que permitió mantener las fragancias y las propiedades curativas de las plantas.

Los aceites esenciales se pueden usar en velas, quemadores, jabones y otros productos de aseo. ¡Qué mejor manera de prepararse para una velada romántica que con un buen baño o una ducha relajante con jabón perfumado con aceite afrodisiaco!

El ambiente romántico en el comedor o en la estancia en la que va a culminar la velada de pasión se puede conseguir encendiendo velas o un quemador de aceite. Ver el rostro de la persona amada con la tenue luz que desprenden las velas mientras se cena es en sí un hecho que denota intimidad y acercamiento. La habitación, además, se puede perfumar con aceites esenciales que refuercen el aroma de las velas y la mesa se puede decorar con unas flores también afrodisiacas.

La combinación de todos los elementos culminará en una noche llena de deseo y pasión. Sin embargo, no se debe olvidar que el afrodisiaco más potente y efectivo está en la mente humana y en el encuentro con la persona deseada en un clima relajado y desinhibido, que propicie un acercamiento íntimo que sea ansiado por ambos.

Los anafrodisiacos

Los anafrodisiacos son las sustancias y elementos que disminuyen la excitación sexual. Antiguamente el mal aliento era el más poderoso de todos ellos, porque los problemas dentales y bucales eran inevitables al no existir la higiene bucal, por eso no es de extrañar que muchos afrodisiacos sean en realidad plantas aromáticas, astringentes o antisépticas. A continuación hay un listado de cuáles son los anafrodisiacos más poderosos en la actualidad para evitarlos en el momento de preparar una velada pasional.

VERDURAS Y FRUTAS

Lechuga silvestre

En la Antigüedad se la conocía como «la hierba de los eunucos». Tiene propiedades relajantes y somníferas nada aconsejables para una velada llena de pasión.

Sandía

Posee propiedades depurativas, favorece la eliminación de residuos tóxicos y limpia los intestinos. Ayuda a mantener la presión arterial.

OTROS

Alcohol

El alcohol es uno de los afrodisiacos que, tomado en exceso, puede convertirse en anafrodisiaco. Si en pequeñas cantidades tiene un efecto desinhibidor, en grandes cantidades dificulta que el hombre tenga una erección y, si se consume en exceso por largo periodo de tiempo, reduce la producción de testosterona, lo que debilita la respuesta sexual y provoca disfunciones.

Medicamentos: ansiolíticos y antidepresivos

Los ansiolíticos se recetan para combatir la ansiedad, el insomnio, el alcoholismo e incluso como relajantes musculares. Su consumo afecta negativamente al rendimiento sexual, disminuye el deseo y hasta puede provocar impotencia. Los efectos secundarios de los antidepresivos son los mismos.

Nenúfar blanco

Esta delicada flor es uno de los anafrodisiacos más potentes. Durante siglos fue el ingrediente usado por los ermitaños y anacoretas para sobrellevar el celibato.

Tabaco

Fumar es malo para la salud y también para el rendimiento sexual, puesto que contrae los vasos sanguíneos. Puede producir impotencia. El profesor de la facultad de Medicina de la Baylor University Irving J. Fishman afirma, en uno de sus estudios, que con sólo fumar dos cigarrillos al día se puede inhibir una erección.

Valeriana

En dosis pequeñas tiene una larga reputación como estimulante, pero en grandes dosis sirve como relajante, ayuda a conciliar el sueño y dificulta el éxito de un encuentro apasionado.

Vinagre

Puede causar vómitos y producir impotencia temporal porque enfría la sangre.

Los alimentos afrodisiacos

Pecados del mar

Se considera que los afrodisiacos más potentes son los provenientes del mar, quizá porque de la espuma del mar nació Afrodita, la diosa del amor en la mitología griega. Los reyes de los afrodisiacos son los mariscos; los más potentes son las ostras, aunque el pescado también goza de buena fama.

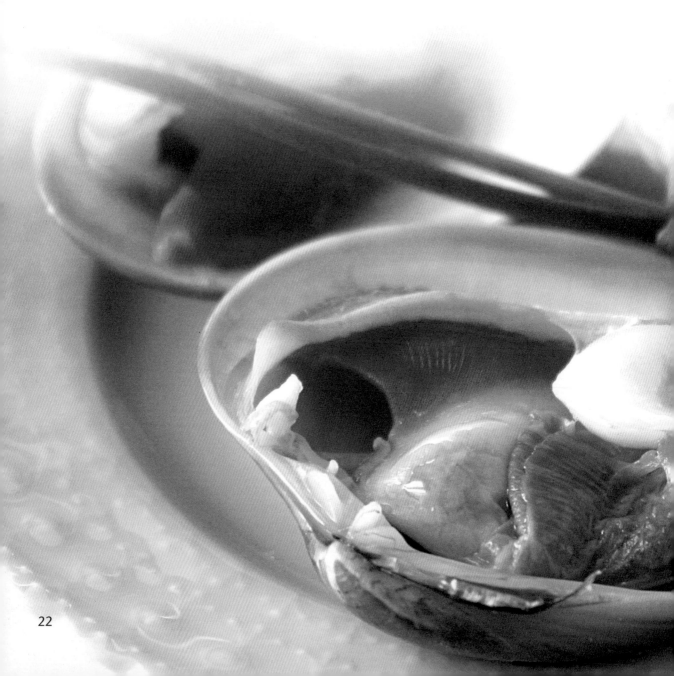

MARISCO

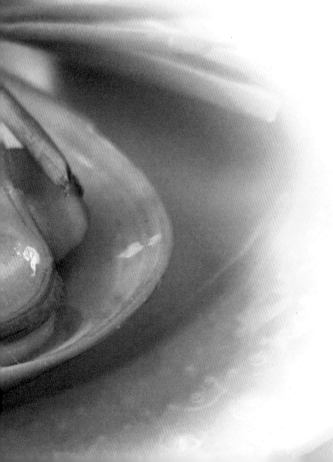

Almejas, berberechos, mejillones

Las almejas y los mejillones son moluscos que, por su forma, recuerdan a los genitales femeninos.

La historia nos muestra que los norteamericanos consideran que las almejas son uno de los afrodisiacos más potentes. Los trabajadores de las plataformas petrolíferas exportaron esta creencia al mar del Norte; y, en 1920 llegó al Reino Unido, cuando desde los transatlánticos que llegaban de América se arrojaban almejas al mar al finalizar las travesías. Aunque si el renacentista Boticelli pintó a Venus nacida de una concha, probablemente no fuese algo gratuito.

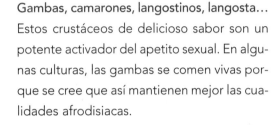

Gambas, camarones, langostinos, langosta...

Estos crustáceos de delicioso sabor son un potente activador del apetito sexual. En algunas culturas, las gambas se comen vivas porque se cree que así mantienen mejor las cualidades afrodisiacas.

Ostras

Su innegable parecido con los genitales femeninos, así como su textura y su olor las han convertido en el afrodisiaco más potente desde la Antigüedad: los griegos las relacionaron con Afrodita y el deseo sexual; los romanos popularizaron su consumo y las convirtieron en manjar imprescindible en sus bacanales; los celtas las comían con avidez; y cuenta la leyenda que Casanova seducía a sus amantes ofreciéndoselas de su propia boca.

Las ostras son ricas en fósforo, zinc, yodo, hierro y cobre, minerales vigorizantes que contribuyen a aumentar la estimulación sexual. Además, elevan la producción de testosterona y favorecen la lubricación vaginal.

Pecados del mar

PESCADO

Angelote
Este pescado de exquisito sabor se usa como afrodisiaco desde la Edad Media.

Arenque
Según la cultura irlandesa es uno de los mayores afrodisiacos. Además, es un gran reconstituyente.

Boquerón
En la Antigua Grecia ya creían en su poder excitante.

Caballa
Este pescado ahumado es un potente afrodisiaco de rápido efecto.

Caviar
Las huevas de esturión tienen un gran contenido proteico y son un estimulante del instinto sexual.

Salmón
Su poder estimulante de la libido tiene un efecto inmediato, quizá por su gran contenido en proteínas de alta calidad.

Deseo carnal

Criadillas

Hay quien cree que comer los testículos de los animales otorga mayor vigor y respuesta en el acto sexual.

Pollo

Rico en proteínas de alta calidad, es un gran energizante.

Ternera

La carne roja, en especial la de ternera, es uno de los afrodisiacos más potentes que existen gracias a los nutrientes que aporta al organismo.

El legado de Ceres

Avena

Los copos de avena liberan la testosterona del organismo y mejoran la respuesta sexual de los amantes. En Gran Bretaña, por ejemplo, se toman copos de avena hervidos en leche antes del acto sexual.

Arroz

Cereal asociado con la fertilidad.

Maíz

Es una planta sagrada entre los aborígenes americanos; para ellos simboliza la fertilidad y la abundancia.

Trigo

Representa la fertilidad, y la espiga está considerada un símbolo fálico. En Oriente era costumbre que las parejas copulasen sobre los campos de trigo en la época de la siembra para que las plantas aumentasen su fertilidad por ósmosis.

Frutas de la pasión

FRUTAS

Aguacate
Este delicioso fruto, utilizado básicamente como hortaliza, es un estimulante sexual gracias a su alto contenido en vitaminas D y E, que le otorgan valor energético. Su fama como afrodisiaco se remonta a siglos atrás: los aztecas lo llamaban *ahuacatl*, que significa 'testículo', por la forma en la que colgaba de la planta. En México, es costumbre tomar la semilla para mejorar la potencia viril; para ello la sumergen en leche para ablandarla y comerla después.

Arándano
Se considera un potenciador del deseo sexual.

Cereza
Rica en vitamina B, aumenta la utilización del oxígeno y potencia la función cardiaca, por lo que su consumo está indicado en los momentos en los que se vayan a gastar grandes cantidades de oxígeno.

Ciruela
Se la considera una fruta afrodisiaca por su alto aporte energético. Su fama se extendió en el siglo XIX, al ser ofrecida en los burdeles isabelinos para mejorar el rendimiento sexual. En China simboliza los genitales femeninos.

Coco
En la India se cree que aumenta la cantidad y la calidad del semen, y es el símbolo de la maternidad y la fertilidad.

Dátil
Para árabes y africanos es un reconocido vigorizante sexual puesto que aumenta la potencia viril. Es rico en calorías y aporta energía de forma instantánea.

Frambuesa
Por su forma, color y sabor, se ha asociado al erotismo desde siempre. En las culturas orientales las frambuesas se usaban en ceremonias de fertilidad. Relaja los órganos sexuales de la mujer y facilita el acto sexual al hombre.

Fresa
Estimula de forma indirecta las glándulas endocrinas y el sistema nervioso; además, mejora la circulación sanguínea y, por extensión, la capacidad sexual.

Granada

Los árabes la trajeron a Europa, y ya en la Antigua Grecia era una de las frutas ceremoniales en los ritos de Dioniso, junto con la uva y el higo. En Oriente se la asocia a ceremonias de fertilidad.

Higo

Esta fruta, de carne suave y suculenta, se parece a una carnosa vulva, y comerla puede representar una metáfora de llevarse a la boca los genitales femeninos. Su consideración como afrodisiaco viene de antiguo: los dibujos egipcios muestran a sus faraones con collares de higos alrededor del cuello; la mismísima Cleopatra lo servía en sus fiestas; en la Antigua Grecia lo consideraban un fruto sagrado y lo relacionaban con la fertilidad, y, además, era uno de los frutos asociados al culto de Dioniso; y en China se regalaba a los novios la noche de bodas para que tuviesen energía durante toda la noche.

Frutas de la pasión

Mango
Esta fruta de origen hindú recuerda por su forma a los testículos.

Manzana
Es la fruta prohibida en la cultura judía y cristiana y, desde siempre, se la ha asociado con la sensualidad. Además, es un potente estimulante y combate el sueño mejor que el café.

Melón
Se lo considera un potenciador del deseo carnal.

Melocotón y albaricoque
Desde siempre se los ha asociado al deseo y a los instintos sexuales, sobre todo en la cultura china, en la que el melocotón servía para representar los genitales femeninos y su jugo emulaba los fluidos vaginales.

Membrillo
Es una de las frutas asociadas a Afrodita, junto con la granada y la manzana.

Piña

Rica en vitamina C, se usa como tratamiento homeopático contra la impotencia.

Plátano

Se considera un potente afrodisiaco por su poder energético y, además, representa el símbolo fálico por excelencia. Las antiguas religiones védicas fueron las primeras en asociarlo con la braveza erótica.

Uva

Era una de las frutas más utilizadas en las fiestas en honor a Dioniso o Baco (dioses del vino en la mitología griega y romana respectivamente). Está asociada con el placer sensual, la fertilidad y la juventud.

Frutas de la pasión

FRUTOS SECOS Y SEMILLAS

Almendra

Según cuenta la mitología griega, el almendro nació del miembro viril de Agdistis enterrado en el suelo. Agdistis era un joven de tal belleza que los dioses decidieron castrarlo por envidia y enterrar su miembro. Con este origen, el fruto del almendro es uno de los afrodisiacos más afamados. La literatura árabe también lo considera un potente estimulante. Se dice que Cleopatra frotaba sus genitales con almendras y miel, y que, gracias a este peculiar modo de acicalarse, conquistó primero a César y luego a Marco Antonio.

Avellana

En algunas culturas es tradición comer avellanas en el banquete de boda e, incluso, se colocan en cestitos junto a la cama de los novios.

Nuez

Es otro de los frutos que se ofrecía a los recién casados en su noche de bodas.

Piñón

Su poder estimulante se conoce desde antiguo. Ovidio recomendaba comerlos en su *Ars amandi* (*El arte de amar*).

Pistacho

En Oriente, sobre todo en Siria, está considerado como uno de los afrodisiacos más potentes. Cuentan que al comerlos aumenta de forma evidente el deseo sexual.

Pipa de calabaza

En la antigua India ya se conocía su efecto afrodisiaco. Los romanos las comían en sus banquetes y las culturas americanas utilizaban calabazas huecas y las semillas, ya secas, como instrumento musical en sus rituales sexuales.

Su ingesta aumenta el deseo sexual y es beneficiosa en los casos de disfunción sexual, sobre todo en los hombres con problemas de erección y de próstata; esto se debe a sus propiedades reconstituyentes y energéticas.

Verduras prohibidas

Ajo
Rico en vitaminas B y C, su alto poder como afrodisiaco se encuentra en su aceite volátil, que provoca el calentamiento del cuerpo humano. Si se toma a diario, aumenta la energía vital y la potencia sexual.

Alcachofa
Sus propiedades tonificantes contribuyen a mejorar el rendimiento sexual.

Apio
Su estructura química contiene feromonas, las moléculas encargadas del comportamiento de la libido, por lo que al comerlo aumenta la estimulación sexual. Los romanos, aun siendo desconocedores de su composición, ya ofrendaban apio a Plutón, el dios de las profundas pasiones.

Berenjena
Hortaliza de origen hindú, considerada un potente afrodisiaco en la literatura árabe medieval.

Berro
Los romanos lo llamaban «desvergonzado» por sus cualidades estimulantes.

Calabaza
Su efecto potenciador del deseo se conoce desde antiguo. Los romanos la ofrecían en sus orgías, junto con las semillas.

Bambú
Es un potente afrodisiaco utilizado, sobre todo, en China, donde las juntas de las cañas de bambú se emplean como estimulador del deseo.

Cebolla
Era considerada ya un afrodisiaco por caldeos, egipcios, griegos, romanos y árabes. Los egipcios, por ejemplo, prohibieron comer cebollas a sus sacerdotes debido al efecto estimulante que ejercían sobre la libido. En la narración árabe del s. XV *El jardín perfumado*, se explica la historia de Abou el Heiloukh, cuyo miembro permaneció erecto durante 30 días después de comer cebolla. En Francia, era habitual servir sopa de cebolla la mañana siguiente de la noche de bodas para mantener la libido bien alta.

Champiñones
Ricos en proteínas, minerales y vitaminas,
combaten la anemia y la desmineralización.
Son un energizante poderoso.

Verduras prohibidas

Endibia

Hortaliza que estimula la capacidad sexual de las mujeres.

Espárrago

Sus nutrientes son fundamentales para mantener un alto rendimiento sexual, aunque su fama como afrodisiaco proviene, principalmente, de su forma fálica y su sugerente sabor. Aun así, en la Antigüedad ya se hablaba del espárrago como de «manjar de dioses»; los egipcios lo reservaban al consumo de los faraones; los griegos lo disfrutaban en las bacanales y los árabes lo aconsejaban para aumentar la libido.

Espinaca

Fortalece el organismo y aumenta el deseo carnal.

Lechuga

Rica en vitamina E, regula las hormonas femeninas. Hay que tomarla con moderación justo antes de un encuentro amoroso, puesto que es calmante y puede ejercer el efecto contrario al esperado.

Patata

Se la considera afrodisiaca desde el siglo xv, cuando fue traída de América a Europa.

Pepino
Símbolo fálico debido a su forma y textura rugosa.

Pimiento
Potente afrodisiaco que aumenta la pasión, disminuye la sensación de calor y contribuye a desarrollar la imaginación y el deseo sexual.

Puerro
En la Antigüedad se le atribuían poderes afrodisiacos.

Tomate
Sus nutrientes son los que lo convierten en un afrodisiaco efectivo, puesto que aporta al organismo la energía necesaria para el acto sexual.

Zanahoria
Despierta el deseo y mejora el rendimiento sexual al ser rica en vitaminas A, B y D.

Especias y condimentos «picantes»

Anís y anís estrellado

La palabra *anís* viene del griego *anisemi*, que significa 'excitar'. El médico griego Dioscórides habló de él como de un afrodisiaco, diurético y estimulador de la producción de leche. Los romanos también lo consideraban afrodisiaco. En la Edad Media se creía que el anís era capaz de devolver el marido a las esposas abandonadas; incluso Sade lo utilizaba para seducir. En la actualidad, se utiliza para iniciar en el amor a los recién casados de algunas zonas de Oriente Próximo, además de para curar la impotencia.

Albahaca

Cuenta una leyenda haitiana que la diosa del amor Erzulie enamoró a más de mil hombres usando albahaca. Lo cierto es que esta planta actúa como fuerte incitador sexual.

Azafrán

Su fama como afrodisiaco viene de los asirios, árabes, fenicios, griegos, hindúes y romanos, porque en apariencia mejora la circulación de la sangre en las mujeres y aumenta el deseo al estimular el útero.

Azúcar moreno

El azúcar moreno contiene gran cantidad de vitaminas y minerales, necesarios, junto con la energía que aporta, para conseguir un óptimo rendimiento sexual.

Canela

Se trata de un potente estimulante que, según cuentan, hace que la mujer que lo toma se convierta en una amante ardiente.

Cardamomo

Sus propiedades aromáticas y su alto contenido en aceite volátil lo convierten en un potente afrodisiaco, que aumenta tanto el apetito estomacal como el sexual.

Cilantro

En la Antigüedad se utilizaban las semillas de cilantro para preparar pociones amorosas. Es energizante.

Clavo

La semilla del clavo es estimulante y en la India es costumbre masticarla antes de dirigirse a la persona amada. Produce sensación de calor y se toma para combatir la impotencia.

Enebro

El *Kamasutra* recomienda la infusión de baya de enebro para mejorar el vigor sexual, aunque está contraindicado para las mujeres embarazadas y quienes padecen insuficiencia hepática.

Especias y condimentos «picantes»

Guindilla

Ejerce un efecto vasodilatador sobre los genitales.

Jengibre

Tiene capacidad estimulante. Sus efectos afrodisiacos se concentran en su aceite volátil que contiene cingibereno, cingiberol, borneol, felandreno, citral, cineol, almidón, mucílago y resina. Además de emplearlo en cualquier receta, se puede usar como ungüento para aumentar el tamaño del pene en erección.

Menta

Fue la primera planta medicinal que se usó como afrodisiaco por su eficacia como estimulante suave del sistema nervioso, sobre todo del de las mujeres.

Nuez moscada

Los poderes afrodisiacos se encuentran en sus aceites volátiles y su aroma.

Pimienta

La pimienta es rápida e infalible, por algo se la conoce como la reina de los ardores. Ejerce un efecto vasodilatador y excitante sobre los genitales.

Romero

Es efectivo en caso de agotamiento físico y mental y ayuda tanto a hombres como a mujeres a mejorar, regular e incrementar sus capacidades sexuales. Para usarlo como afrodisiaco hay que tomarlo en infusión o como condimento.

Tomillo

Es un suave pero efectivo energizante gracias a los aceites volátiles que contiene y, además, activa el sistema nervioso. Está indicado para combatir la falta de apetencia sexual en personas convalecientes, cansadas o deprimidas.

Trufa

Se la llama «el testículo de la tierra». Tiene una estructura química similar a la de las feromonas, pero hay que tomarla en pequeñas dosis para que sea efectiva; en grandes cantidades produce tristeza.

Salvia

En la Antigua Grecia se cultivaba en todos los jardines porque se creía que daba la vida eterna, aunque realmente se empleaba para aumentar la libido.

Vainilla

Los hindúes la empleaban como afrodisiaco al perfumar con su fragancia la estancia en la que iban a mantener relaciones sexuales, para que éstas fuesen deliciosas. Su esencia tiene un efecto relajante que facilita dejarse llevar por la pasión y el deseo. Si se frota la piel con una vaina de vainilla, se produce una leve comezón que ayuda a la excitación.

Bebidas de los dioses

Café

El efecto excitante de esta bebida se debe a la cafeína, un alcaloide que estimula el sistema nervioso central; aunque también ejerce un efecto vasoconstrictor, que no es demasiado indicado justo antes de iniciar un juego sexual. Se recomienda tomarlo unas horas antes.

Cava o champán

Es uno de los afrodisiacos de más renombre. Se trata de un vino espumoso que se bebe con más facilidad que el vino. Está asociado a momentos especiales y de celebración. Como todas las bebidas alcohólicas es un gran desinhibidor, y ofrecer una copa bien fría al amante es una buena manera de iniciar el juego erótico. Sin embargo, hay que beberlo con moderación, porque el alcohol tomado en exceso se convierte en uno de los principales anafrodisiacos.

Licores

Amaretto, Benedictine, Grand Marnier, mar de cava, coñac, whisky, kirsch, vodka... Los licores, tomados con moderación, son un potente afrodisiaco gracias a su efecto desinhibidor. Acompañados de un buen postre y de una excelente conversación, su resultado es infalible.

Poleo

Estimula la producción de hormonas femeninas.

Sake

Vino de arroz que une las propiedades afrodisiacas del arroz y las desinhibidoras del alcohol.

Té

La teína, uno de sus principales componentes, hace que quien lo tome se mantenga despierto durante largo tiempo. Además, si se toma caliente, otorga una sensación de relax y de excitación a la vez. La ceremonia del té, en Japón, se considera un arte y, si bien no está aparentemente unida al erotismo, puede sin embargo llegar a ser completamente excitante. Los poderes afrodisiacos del té cambiarán según el tipo que se beba.

Vino

Como ocurre con el resto de las bebidas alcohólicas, su carácter afrodisiaco reside en su efecto vasodilatador, que lleva más sangre a los genitales y prolonga la erección, al mismo tiempo que desinhibe y relaja.

El vino es una de las bebidas ligadas al placer carnal desde la Antigüedad. Los griegos con sus fiestas litúrgicas dedicadas a Dioniso y, sobre todo, los romanos con las celebradas en nombre de Baco así lo demostraron.

Otras tentaciones

Chocolate

El chocolate, actualmente considerado el sustituto del sexo, era la bebida sagrada de los aztecas, quienes creían que el cacao era un regalo del dios Quetzalcoatl. La bebida que tomaban en sus ceremonias estaba formada por una infusión de semillas de cacao y ajíes, que otorgaba vigor a quienes la bebían.

Las semillas de cacao contienen feneleiamina y teobromina, dos xantinas altamente estimulantes que combaten la fatiga, mejoran la ventilación pulmonar y la circulación sanguínea y, por extensión, el rendimiento sexual; además, revitalizan el sistema nervioso central.

Ginkgo biloba

Mantiene el pene en erección.

Ginseng

Se considera un eficaz potenciador sexual, aunque sus efectos no son inmediatos. Los chinos y coreanos lo toman en infusión 15 minutos antes de comenzar el juego erótico.

Huevos

Las propiedades nutricionales de los huevos ayudan a tener y a recuperar energía rápidamente. La literatura universal ha considerado los huevos de codorniz como unos potentes afrodisiacos.

Jalea real

Es un estimulante general. Tarda en hacer efecto, pero sus resultados son prolongados.

Miel

Se la conoce como el néctar de Afrodita; con este nombre es innegable su poder afrodisiaco: contiene mucha vitamina B y C y minerales que estimulan la producción de hormonas sexuales. Además, es un reconstituyente rápido y efectivo para los amantes. Antiguamente, se depositaban jarras de miel delante de la puerta de los recién casados para que pudiesen mantener mucho tiempo su ardor sexual; así, decir que unos novios estaban de «luna de miel» era sinónimo de decir que se encontraban en plena pasión desbocada.

Nata

¿Quién no ha imaginado un juego erótico con la nata como protagonista? Se trata de un afrodisiaco que confiere gran energía a los amantes, además de despertar su imaginación.

Queso

Alimento energético. Los quesos duros, de olor moderado y sabor fuerte tienen efectos extraordinarios.

Regaliz

Dicen que las mujeres que comen regaliz son muy apasionadas. Esto se debe a que el regaliz tiene un alto contenido de estrógeno, la hormona sexual femenina.

Vitamina C

Entre sus muchas propiedades, esta vitamina actúa como transportadora de oxígeno e hidrógeno en el organismo y actúa sobre las glándulas endocrinas. Se encuentra en el kiwi, la guayaba, los pimientos, la grosella, el perejil, el caqui, la col de Bruselas, el tomate, el limón, la coliflor, la espinaca, la fresa, la naranja y el pomelo.

Vitamina E

Actúa directamente sobre los órganos reproductores e incrementa la producción hormonal. La contienen las verduras de hoja verde (espinacas, lechuga, etc.), las legumbres, la margarina, los aceites vegetales, la yema de huevo, el germen de trigo, las avellanas y las almendras.

Los otros afrodisiacos

Las flores y las plantas de la pasión

Las flores y las plantas no sólo sirven para decorar o dar olor. Algunas de ellas usadas en infusión o como acompañamiento o ingrediente de algún plato se convierten en un potente afrodisiaco. Otras sólo son un elemento decorativo cuya fragancia exalta a los amantes.

Damiana

Esta planta cuyo nombre latino es *Turnera afrodisiaca* actúa de manera rápida y efectiva sobre los centros nerviosos del organismo, tonificándolo y estimulando los órganos sexuales. Se utiliza para combatir la impotencia y también es efectiva contra la falta de deseo de ambos sexos.

Diente de león

Esta flor es un restaurador de las energías perdidas.

Jacinto

Se dice que su perfume llena los sentidos de ansias de amor.

Jazmín

En la India las mujeres que deseaban seducir a sus esposos se decoraban el pelo con jazmín al caer la tarde, su agradable aroma hacía el resto.

Malva

Esta flor tomada en infusión sirve para relajarse y aumentar la pasión a la vez.

Nardo

Se dice que esta flor seduce a cualquier persona que aspire su aroma.

Orquídea

Cuenta la leyenda que los hombres que antiguamente deseaban conquistar a una mujer le regalaban una orquídea y esto provocaba una pasión incontrolada de la dama hacia el galán que la pretendía. Para usarla como afrodisiaco, se puede emplear de diversas maneras: la primera es aprovechar su aroma; la segunda, hacer una infusión con sus hojas o tubérculos; y la última, frotarla contra los genitales.

Ortiga

Es rica en hierro, vitaminas y minerales. Los árabes tomaban semillas de ortiga con miel contra la impotencia.

Pasionaria

Hay quien relaciona el nombre de esta flor con la pasión carnal; pero, al margen de este hecho, la pasionaria contiene harmina, una sustancia estimulante de la que se dice que inflama el deseo sexual.

Raíz de Sansón

Se trata de un estimulante del sistema inmunológico.

Rosa

La rosa roja es indiscutiblemente la reina de las flores. Desde siempre ha estado asociada al amor y a la pasión carnal. Su aroma es seductor y cocinada con otros alimentos afrodisiacos garantiza un efecto inmediato.

Sauce negro

Su corteza contiene tanina y salinigrina, una glucosa con propiedades tonificantes y afrodisiacas.

Verbena

Antiguamente se decía que bastaba con frotarse las manos con zumo de verbena y tocar a alguien para ganar su corazón.

Los olores del deseo

Los aceites esenciales bien empleados pueden convertirse en una buena arma de seducción que aumente los efectos afrodisiacos del menú previsto.

Clavo
Se trata de un aroma estimulante y fuerte; tiene que utilizarse en cantidades pequeñas.

Jazmín
Es el rey de los aceites esenciales. Su efecto se conoce desde bien antiguo, sobre todo en Oriente. Usarlo es sinónimo de éxito.

Rosa

Su aroma seductor es infalible. Cuentan que Cleopatra tomaba baños de leche y miel con pétalos de rosa para seducir a sus amantes.

Vainilla

Su olor dulce, sutil, cálido y penetrante ya era utilizado como afrodisiaco por los indios pre-colombinos, quienes lo consideraban digno de los dioses. Hay estudios que afirman que produce efecto porque inconscientemente se asocia al olor de la leche materna.

Ylang ylang

Tiene un aroma dulce y penetrante que normalmente hay que mezclar para equilibrarlo. Alivia las tensiones, es euforizante y sedante. Su origen es oriental.

Las recetas

Aperitivos

Canapés de Venus

INGREDIENTES

- 12 ostras

- 2 rebanadas de pan de brioche de 1 1/2 cm de espesor

- 1 ramita de cebollino

- 1 cucharadita de mantequilla

- Pimienta blanca

- Limón

PREPARACIÓN

1 Limpiar las ostras y retirar la carne de las conchas. Picar el cebollino. Cortar el limón en rodajas.

2 Tostar las rebanadas de pan en una sartén. Cuando estén doradas, retirarlas y conservarlas calientes.

3 Derretir la mantequilla en una sartén y rehogar las ostras, a fuego fuerte, de 3 a 4 minutos.

4 Colocar seis ostras sobre cada rebanada de pan, regarlas con la mantequilla de la cocción, espolvorearlas con el cebollino y con una pizca de pimienta.

5 Servir inmediatamente con unas rodajas de limón de acompañamiento.

SUGERENCIA DE PRESENTACIÓN

Cortar cada una de las rebanadas de pan en seis trozos, colocar delicadamente una ostra encima de cada porción y servirlas pinchadas con el tenedor directamente en la boca del amante.

Tostadas de Poseidón

INGREDIENTES

- 4 rebanadas de pan
- 2 aguacates
- 1 cebolleta
- 1 diente de ajo
- Zumo de 1/2 limón
- 25 g de pescado cocido
- 10 gambas cocidas
- Pimienta blanca
- Sal
- Tabasco
- Caviar rojo
- Tomates cherry (opcional)

PREPARACIÓN

1 Partir los aguacates por la mitad, quitarles el hueso y pelarlos. A continuación, trocear la pulpa y regarla con el zumo de limón. Desmenuzar el pescado cocido y cuatro gambas; reservar seis. Picar la cebolleta muy fina. Pelar y laminar el diente de ajo.

2 Mezclar la pulpa de aguacate con el pescado, las gambas, la cebolleta y el diente de ajo en un cuenco, hasta obtener una pasta uniforme. Salpimentarla y regarla con unas gotas de tabasco.

3 Tostar las rebanadas de pan.

4 Cubrir las tostadas con la pasta y decorar cada una de ellas con una gamba y unas huevas de caviar.

SUGERENCIA DE PRESENTACIÓN

Este aperitivo se puede servir sobre un plato, o una fuente, decorado con unos tomates cherry troceados y una gamba. Los tomates y la gamba pueden servir para incitar al amante a desbocar su pasión, como Poseidón sobre las aguas.

Pincho de Zeus y Hera

INGREDIENTES

- 4 espárragos trigueros

- 4 gambas

- 1 diente de ajo

- Guindilla

- Aceite de oliva

- Sal

PREPARACIÓN

1 Limpiar los espárragos, cortar la parte dura y desecharla. Pelar y picar el diente de ajo. Pelar las gambas.

2 Poner a hervir una olla con agua ligeramente salada y, cuando alcance el punto de ebullición, incorporar los espárragos. Cocerlos 5 minutos. Cortar la cocción rápidamente con un baño de agua fría y hielo para que conserven su verdor. Escurrirlos bien y terminar de cocinarlos a la plancha.

3 Regar una sartén con un poco de aceite de oliva y, cuando esté caliente, dorar el ajo y una punta de guindilla. Incorporar las gambas, sazonarlas y saltearlas brevemente.

4 Pinchar cada gamba con un espárrago y servir.

SUGERENCIA DE PRESENTACIÓN

Este pincho se puede servir tal cual, sobre un plato o una bandejita, o bien ofrecerlo al amante hambriento cogido amorosamente con los labios.

Pincho de la sensualidad

INGREDIENTES

- 32 almejas

- 1/2 lima

- 4 tomates cherry amarillos

- Sal

PARA LA VINAGRETA

- 1 cucharadita de vinagre de lima

- 3 cucharaditas de aceite de oliva

- Pimentón dulce

- Azafrán

PREPARACIÓN

1 Dejar reposar las almejas en agua fría y sal durante 30 minutos para que desprendan la arena.

2 Cocerlas al vapor, tapadas, en una cacerola con un dedo de agua hasta que se abran.

3 Retirar la carne de las valvas y guardarla aparte.

4 Cortar la lima en rodajas y los tomates en cuartos.

5 Pinchar 4 almejas con un palillo sobre 1 rodaja de lima. Colocar dos cuartos de tomate sobre la lima. Reservar.

6 Preparar la vinagreta mezclando el vinagre, el aceite, una pizca de pimentón y unas hebras de azafrán al gusto hasta que la salsa emulsione.

7 Regar los pinchos de almeja con la vinagreta.

SUGERENCIA DE PRESENTACIÓN

Los pinchos pueden servirse todos en un plato o bien en pequeños platitos individuales.

Brocheta del Olimpo

INGREDIENTES

- 4 langostinos

- 20 g de boletos molidos

- Polvo de regaliz o paloduz

- 1 loncha de beicon

- Aceite de oliva

- 2 dátiles (opcional)

- 1/2 tomate (opcional)

- 2 rodajas de plátano (opcional)

- 1 ramita de eneldo (opcional)

- Sal Maldon (opcional)

PREPARACIÓN

1 Pelar los langostinos, quitarles la cáscara y la cabeza. Dejarlos marinar en el polvo de regaliz (o paloduz en su defecto) 1 hora.

2 Cortar el beicon en 4 trozos y cocinarlo a la plancha hasta que esté bien crujiente.

3 Pasar los langostinos por los boletos molidos justo antes de cocinarlos.

4 Freír los langostinos en abundante aceite de oliva.

5 Envolver cada langostino con un trozo de beicon y ensartarlo en un palillo.

SUGERENCIA DE PRESENTACIÓN

Este aperitivo se puede servir en una copa de cóctel, como preludio a una comida especial. Para ello, sugerimos colocar 1 rodaja de plátano en el fondo de la copa, 1 dátil encima, 2 pinchos a continuación y, por último, esparcir unos dados de tomate por encima y salar con sal Maldon. Decorar con una ramita de eneldo.

Colas de langostino de la pasión

INGREDIENTES

- 4 langostinos

- 4 dientes de ajo

- 100 g de mantequilla

- 1 taza de ron negro

- 1 limón

- 1 cucharadita de zumo de limón

- Sal

- Pimienta

- Miga de pan (opcional)

PREPARACIÓN

1 Pelar los langostinos. Pelar y picar los dientes de ajo. Cortar el limón en rodajas.

2 Fundir la mantequilla en una cacerola sin que llegue a hervir. Añadir el zumo de limón, el ajo, una pizca de sal y otra de pimienta. Verter el ron y dejar que arranque el hervor.

3 Agregar los langostinos y saltearlos brevemente.

4 Retirar los langostinos de la cacerola y colocarlos en una fuente acompañados por rodajas de limón.

SUGERENCIA DE PRESENTACIÓN

Si se desea, los langostinos se pueden regar con la salsa en la que se han cocido y ésta se puede acompañar de pequeños trozos de miga de pan que, pinchados con un palillo, pueden ayudar a iniciar un sugestivo juego.

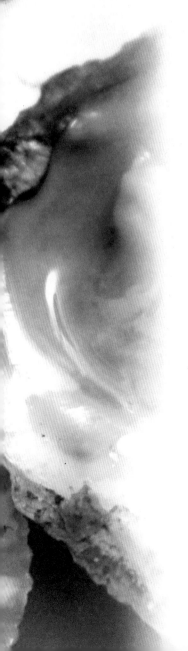

Bocado de Afrodita

INGREDIENTES

- 24 ostras

- 1 limón

PREPARACIÓN

1 Abrir las ostras dejando la carne unida a la valva inferior con la mayor parte del jugo. Cortar el limón en rodajas.

2 Colocar las ostras sobre una fuente.

SUGERENCIA DE PRESENTACIÓN

Las ostras se pueden colocar sobre una fuente formando un dibujo, alternándolas con el limón. Para comerlas, se debe inclinar la cabeza hacia atrás, dejar que caiga la ostra, morder sólo una vez y tragar; a partir de entonces sólo hay que esperar que la sensualidad y la pasión se apoderen del amante, como si de Afrodita se tratase.

Bocado de la lujuria

INGREDIENTES

• 150 g de queso camembert

• 50 g de mermelada de frambuesa

• 4 rebanadas de pan

• 8 frambuesas

PREPARACIÓN

1 Partir las rebanadas de pan por la mitad. Cortar el queso en ocho porciones.

2 Colocar cada porción de queso sobre media rebanada de pan. Pintar el queso con una cucharadita de mermelada de frambuesa.

3 Gratinar el queso durante 5 minutos, hasta que comience a fundirse.

4 Retirar del horno y colocar una frambuesa sobre cada bocadito. Servir inmediatamente.

SUGERENCIA DE PRESENTACIÓN

Se puede servir en una sola fuente o en platitos individuales. Este bocado es ideal para iniciar una comida en la que los sentidos estén a flor de piel.

Tentación del mar

INGREDIENTES

- 12 navajas

- Sal

- Aceite de oliva

PARA LA SALSA

- 1 cucharada de cilantro picado groseramente

- 1 cucharadita de vinagre balsámico

- 3 cucharaditas de aceite de oliva

- Sal

PREPARACIÓN

1 Limpiar bien las navajas y cocinarlas a la plancha con un poco de aceite de oliva y sal hasta que estén al punto.

2 Retirar la carne de las valvas y colocarla sobre un plato o una fuente.

3 Preparar la salsa mezclando el cilantro, el vinagre, el aceite de oliva y una pizca de sal hasta que emulsione.

4 Regar las navajas con un poco de salsa y colocar el resto en un lateral del plato.

SUGERENCIA DE PRESENTACIÓN

Si se desea, se pueden servir las navajas en su concha, lo que permite iniciar el juego con la pareja en el momento de comerlas.

Nido de la pasión

INGREDIENTES

- 4 hojas de endibia

- 4 espárragos trigueros

- 2 langostinos

- 2 filetes de caballa
o trucha ahumada

- Aceite de oliva

- Sal

- Mayonesa (opcional)

PARA LA VINAGRETA

- 1 cucharadita de vinagre de manzana

- 3 cucharaditas de aceite de oliva

- Pimienta blanca

- Sal

PREPARACIÓN

1 Limpiar los espárragos, cortar la parte dura y desecharla. Limpiar las hojas de endibia. Cortar los filetes de caballa en láminas.

2 Poner a hervir una olla con agua ligeramente salada y, cuando alcance el punto de ebullición, incorporar los espárragos. Cocerlos 5 minutos. Cortar la cocción rápidamente con un baño de agua fría y hielo para que conserven su verdor. Escurrirlos bien y acabarlos de cocinar a la plancha.

3 Atar los espárragos de dos en dos con los filetes de caballa. Guardar aparte.

4 Cocinar los langostinos a la plancha con un poco de aceite de oliva. Pelar y reservar.

5 Preparar la vinagreta mezclando el aceite de oliva con el vinagre, una pizca de sal y otra de pimienta y remover hasta que emulsione.

6 Disponer dos hojas de endibia en el fondo de un plato, colocar el langostino entre ellas, para que parezca que se encuentra dentro de un nido, adornar con los atadijos de espárrago y regarlo todo con la vinagreta.

SUGERENCIA DE PRESENTACIÓN

Este nido se puede acompañar con un poco de mayonesa.

Emparedado de Afrodita

INGREDIENTES

- 8 espárragos trigueros

- 100 g de caballa
  o trucha ahumada

- 125 g de queso de
  cabra fresco

- Sal

- Pimienta blanca

- Avellanas molidas (opcional)

- Flores (opcional)

PREPARACIÓN

1 Limpiar los espárragos, cortar la parte dura y desecharla. Cortar la caballa en 16 tiras lo suficientemente anchas como para que quepa un espárrago sobre ellas y no sobresalga.

2 Poner a hervir una olla con agua ligeramente salada y, cuando alcance el punto de ebullición, incorporar los espárragos. Cocerlos 5 minutos. Cortar la cocción rápidamente con un baño de agua fría y hielo para que conserven su verdor. Escurrirlos bien y terminar de cocinarlos a la plancha.

3 Colocar el queso de cabra en un cuenco, chafarlo y salpimentarlo al gusto. Si se desea, se pueden incorporar unas avellanas molidas.

4 Disponer una cucharadita del preparado de queso de cabra sobre la mitad de las tiras de caballa. Cubrirlo con un espárrago y tapar con otra tira de caballa.

SUGERENCIA DE PRESENTACIÓN

Este aperitivo se puede presentar acompañado por unas flores que aumenten la sensualidad del plato; si éstas son afrodisiacas, el efecto será sorprendente.

Beso de Ishtar

INGREDIENTES

- 1 patata grande

- 1 manzana reineta

- 250 g de mejillones

- 500 ml de caldo de pescado

- 50 ml de aceite de oliva

- 30 g de dulce de membrillo

- 1 diente de ajo

- 1 huevo

- Sal

PREPARACIÓN

1 Pelar la patata y cortarla en láminas de 0,5 cm. Untarlas con aceite y asarlas a 220 °C hasta que estén bien hechas. Salarlas y reservarlas calientes.

2 Limpiar los mejillones y retirarles las barbas.

3 Volcar el caldo de pescado en la parte inferior de una vaporera y colocar los mejillones en la superior. Poner al fuego y retirar cuando se hayan abierto. Separar la carne de las valvas y reservar.

4 Pelar la manzana, trocearla y hervirla durante 5 minutos. Escurrirla y triturarla junto con el dulce de membrillo. Guardar el puré.

5 Pelar el diente de ajo, quitarle el corazón y colocarlo en un mortero con una pizca de sal. Majar hasta conseguir una pasta espesa. Cascar el huevo, añadirlo y seguir majando, siempre en la misma dirección. Agregar poco a poco el aceite de oliva sin dejar de remover hasta que la mezcla emulsione.

6 Mezclar, con mucho cuidado, la salsa alioli con el puré de frutas.

7 Para montar el beso, colocar una lámina de patata en el fondo, un par de mejillones encima y bañarlos con una cucharada del alioli de frutas. Cubrirlo casi por completo con otra lámina de patata.

Bombón voluptuoso

INGREDIENTES

- 2 tacos de atún de 50 g cada uno

- 30 g de queso brie

- 20 olivas negras

- Pan rallado

- 2 claras de huevo

- 20 g de queso parmesano rallado

- 1 cebolla pequeña

- 1 diente de ajo

- 1 vaso de caldo de carne

- 1/2 tomate

- Aceite de oliva

- Sal

- Rúcula (opcional)

PREPARACIÓN

1 Congelar el queso brie. Pelar la cebolla y picarla. Pelar el diente de ajo y filetearlo.

2 Rehogar la cebolla y el diente de ajo en una sartén con un poco de aceite de oliva. Añadir el parmesano y fundirlo. Verter el caldo de carne y dejar que cueza lentamente unos 6 minutos. Rectificar de sal y reservar caliente.

3 Trocear las aceitunas y mezclarlas con el pan rallado en una proporción de 70% de aceitunas y 30% de pan rallado. Batir las claras. Trocear el tomate.

4 Introducir un trozo de queso brie en el centro de cada taco de atún.

5 Rebozar el atún con la clara de huevo batida y pasarlo luego por la mezcla de aceitunas y pan rallado.

6 Freír el atún en abundante aceite de oliva.

7 Montar el plato con una base de la salsa de queso y colocar encima el atún recién hecho. Decorar con unas hojas de rúcula y unos dados de tomate.

SUGERENCIA DE PRESENTACIÓN

Si se desea un plato más fino, se puede triturar la salsa antes de servir. Los amantes pueden comenzar con esta salsa el juego erótico.

Zanahorias al mordisco crujiente

INGREDIENTES

- 4 zanahorias

- 20 g de harina

- 1 cucharadita de tomillo molido

- 1 huevo

- 85 g de pan rallado

- 1 ramita de cebollino

- 20 g de parmesano rallado

- Sal

- Pimienta

- Aceite de oliva

- Tomates cherry amarillos (opcional)

- Albahaca (opcional)

- Aceitunas negras (opcional)

PREPARACIÓN

1 Limpiar las zanahorias y recortar las hojas de manera que sólo queden unos 2 cm.

2 Poner a hervir una cacerola con agua y un poco de sal y, cuando arranque el hervor, incorporar las zanahorias. Cocerlas 5 minutos hasta que estén tiernas. Escurrirlas, secarlas con papel de cocina y dejarlas enfriar.

3 Tamizar la harina y el tomillo sobre un plato y mezclar. Batir el huevo en un cuenco. Volcar el pan rallado, el queso y el cebollino bien picado en otro cuenco; salpimentar y remover bien.

4 Pasar las zanahorias primero por la harina, luego por el huevo batido y, finalmente, por la mezcla de pan rallado. Repetir el proceso tres veces para que queden más crujientes.

5 Freír las zanahorias en abundante aceite de oliva caliente hasta que estén doradas. Dejarlas unos segundos sobre papel de cocina y servir.

SUGERENCIA DE PRESENTACIÓN

Se pueden servir en un plato decorado con un tomatito amarillo partido en cuatro trozos, unas aceitunas negras alrededor y unas hojas de albahaca encima; o se pueden ofrecer directamente en la boca del amante, provocándole e incitándole a morder.

Primeros

Ensalada sensual

INGREDIENTES

- 30 g de rúcula

- 1 endibia

- 100 g de salmón fresco

Tomate cherry amarillo (opcional)

PARA EL MARINADO

- 1 ramita de cebollino

- 1 ramita de tomillo

- 4 hojas de albahaca

- Aceite de oliva

- Pimienta

- Sal

PARA LA VINAGRETA

- Zumo de 1/2 limón

- Aceite de oliva

PREPARACIÓN

1 Lavar la rúcula y cortarla en juliana. Deshojar la endibia y cortarla también en juliana. Cortar el salmón en filetitos muy delgados. Picar el cebollino, el tomillo y la albahaca muy finos.

2 Preparar un marinado con un chorrito de aceite, las hierbas picadas y una pizca de sal y otra de pimienta. Introducir los filetes de salmón y dejarlos reposar 1 hora.

3 Elaborar una vinagreta mezclando el zumo de limón con el doble de cantidad de aceite y remover hasta que emulsione.

4 Colocar las tiras de rúcula en el borde de una fuente, cubrir la mitad inferior con las tiras de endibia, y tapar una parte con los filetes de salmón. Regar con un poco del jugo del marinado y otro poco de vinagreta.

SUGERENCIA DE PRESENTACIÓN

El plato se puede decorar con un tomate cherry amarillo cortado en trozos. Si se desea, se puede pinchar con el tenedor un filete de salmón, unas tiras de endibia y unas de rúcula y disponer directamente sobre la lengua sensual del amante.

Ensalada de pimientos de la pasión

INGREDIENTES

- 3 pimientos rojos

- 1 pimiento verde

- 3 dientes de ajo

- 100 g de queso de cabra

- 2 cucharaditas de tomillo picado

- 1 cucharada de vinagre

- Aceite de oliva

- Sal

- Limón (opcional)

PREPARACIÓN

1 Lavar los pimientos, quitarles las semillas y cortarlos en tiras. Pelar los dientes de ajo y laminarlos.

2 Calentar aceite en una sartén a fuego fuerte y, cuando esté caliente, bajar el fuego y agregar los pimientos. Pocharlos de 10 a 15 minutos, removiéndolos con frecuencia. Salar.

3 Cuando los pimientos estén tiernos, añadir el ajo y el tomillo y cocer unos 2 minutos más. Agregar el vinagre y mezclar. Retirar del fuego.

4 Volcar los pimientos en un plato o en una copa ancha de postre. Regar con un poco de aceite de oliva crudo.

5 Desmenuzar el queso de cabra y esparcirlo sobre los pimientos.

SUGERENCIA DE PRESENTACIÓN

Esta ensalada se puede decorar con unas tiras de piel de limón y servir en un único plato o un cuenco, de aspecto sensual, para facilitar el encuentro entre los amantes y el estallido de la pasión con el choque de tenedores.

Ensalada de los sentidos

INGREDIENTES

- 200 g de salmón

- 300 g de maíz

- 12 gambas cocidas peladas

- 1 pomelo rosa

- 125 ml de caldo de pescado

- 125 ml de vino blanco seco

- Zumo de 1 limón

- Aceite de oliva

- Sal

- Pimienta blanca

- 1 hoja de lechuga (opcional)

- Menta (opcional)

PREPARACIÓN

1 Quitar la piel al salmón y cortarlo en tiras de unos 2 cm. Mezclar el caldo de pescado con el vino.

2 Colocar el salmón en una cacerola ancha y cubrirlo con el caldo y el vino. Salpimentar y dejar reposar 1 hora.

3 Llevar a ebullición el salmón y cocer 1 minuto. Escurrirlo.

4 Pelar el pomelo y trocearlo.

5 En una ensaladera, mezclar el maíz, el pomelo, el salmón y las gambas. Regarlo con el zumo de limón y un hilo de aceite de oliva. Espolvorear con pimienta, mezclar y servir.

SUGERENCIA DE PRESENTACIÓN

Se puede decorar la ensalada con unas tiritas de piel de pomelo, una hoja de lechuga y unas hojas de menta, que aumentarán el poder afrodisiaco de la ensalada.

Ensalada la sorpresa del Edén

INGREDIENTES

- 2 endibias

- 1 huevo

- 1 patata pequeña

- 1/4 de berenjena

- 4 lonchas de jamón serrano

- Aceite de oliva

- Parmesano rallado

- Harina

- Sal

- Pimienta

- Estragón (opcional)

PARA LA VINAGRETA

- 1/2 cucharada de vinagre

- 1/2 cucharadita de estragón

- 1/4 de vaso de aceite de oliva

- Sal

- Pimienta

- 50 g de nueces

PREPARACIÓN

1 Limpiar las endibias y cortarlas en juliana. Cortar el jamón en tiras. Cortar la berenjena en rodajas, salarlas, dejarlas reposar 30 minutos, escurrirlas y secarlas.

2 Hervir la patata con piel. Pelarla y cortarla en rodajas de 1 cm de espesor.

3 Enharinar las rodajas de berenjena y freírlas en abundante aceite de oliva.

4 Cocer el huevo hasta que esté duro. Pelarlo, cortar una rodaja para la guarnición y picar el resto.

5 Preparar una vinagreta mezclando el aceite, el vinagre, el estragón, una pizca de sal y otra de pimienta. Remover hasta que emulsione. Incorporar las nueces y volver a mezclar.

6 Montar la ensalada en un plato: colocar una patata en el centro del plato, salpimentarla y cubrirla con una o dos rodajas de berenjena, espolvorearlas con parmesano. Taparlas con el huevo duro picado y colocar la rodaja de huevo encima. Disponer las tiras de endibia y de jamón alrededor y bañar con la vinagreta.

SUGERENCIA DE PRESENTACIÓN

La sorpresa de patata y berenjena se puede distribuir por todo el fondo del plato, pero es importante que quede bien cubierta con el huevo. La ensalada se puede decorar utilizando unas hojitas de estragón.

Ensalada del vergel de Adán y Eva

INGREDIENTES

- 1 manojo de brotes de espinacas frescas

- 1 pomelo rosa

- 1 zanahoria

- 2 higos

- 1/4 de lechuga romana

- 125 g de champiñones

- 1 diente de ajo

PARA LA SALSA

- Zumo de 1 naranja

- 2 cucharadas de aceite de oliva

- Sal

- Pimienta

PREPARACIÓN

1 Lavar bien los brotes de espinacas y separar las hojas. Hacer lo mismo con la lechuga. Pelar la zanahoria y cortarla en finos bastoncitos. Limpiar muy bien los champiñones y filetearlos. Pelar el pomelo y desgajarlo. Cortar los higos en láminas. Pelar y picar el diente de ajo.

2 Colocar la mitad de las hojas de espinacas y lechuga en una ensaladera. Poner encima las láminas de higo y cubrirlas con el resto de hojas de espinacas y lechuga. Esparcir por encima los gajos de pomelo, el ajo, los champiñones y la zanahoria.

3 Preparar una salsa mezclando el aceite y el zumo de naranja; añadir una pizca de sal y otra de pimienta. Remover hasta que emulsione.

4 Regar la ensalada con la salsa.

SUGERENCIA DE PRESENTACIÓN

Esta ensalada permite un gran juego: en este caso se han elegido los higos para tentar al amante en el vergel, pero esta fruta se puede sustituir por cualquier otra que dé frescura y picardía al plato.

Ensalada lúbrica

INGREDIENTES

- 1 aguacate

- 1 manzana

- 1 pera

- 2 alcachofas

- 4 gambas

- Zumo de 1 limón

- 1/4 de pimiento rojo

- 1/4 de pimiento verde

- 1/4 de pimiento amarillo

- Pipas de calabaza

- Harina

- Aceite de oliva

- Sal

PREPARACIÓN

1 Limpiar los pimientos y cortarlos en tiras; pasarlos por la sartén a fuego medio durante 2 minutos con un poco de aceite de oliva. Abrir el aguacate, deshuesarlo, pelarlo y cortarlo en láminas. Pelar la manzana y la pera, quitarles el corazón y cortarlas en dados. Limpiar las alcachofas y laminarlas. Rociar el aguacate, las alcachofas, la manzana y la pera con el zumo de limón.

2 Salar las alcachofas, enharinarlas y freírlas con aceite de oliva hasta que estén bien crujientes.

3 Cocinar las gambas a la plancha con un hilo de aceite de oliva y sal hasta que estén al punto. Pelarlas.

4 Colocar los dados de fruta en el centro de un plato o una fuente, cubrirlos con láminas de alcachofa y esparcir encima unas pipas de calabaza. Cubrir el montón con tiras de pimiento y de aguacate y, por último, disponer las gambas encima de todo.

SUGERENCIA DE PRESENTACIÓN

La combinación de los ingredientes y su correcta disposición harán que la sorpresa que tiene guardada esta ensalada en su interior sea aprovechada por el amante hábil para incitar a su compañero o compañera a juguetear cuando comience a comer.

Ensalada del paraíso

INGREDIENTES

- 100 g de hojas tiernas de espinacas

- 1/4 de lechuga

- 125 g de tiritas de cordero

- 100 g de tomates cherry

- Aceite de oliva

- Sal

PARA LA SALSA

- 1 diente de ajo

- Zumo de 1/2 limón

- 1 cucharada de vinagre

- 2 cucharaditas de salsa Worcestershire

- 1/2 cucharadita de mostaza

- 1/2 copita de amaretto

- Sal

- Pimienta

PREPARACIÓN

1 Lavar bien las espinacas y retirarles el tallo. Limpiar y cortar la lechuga. Lavar y trocear los tomates cherry. Pelar y picar el diente de ajo.

2 Calentar un chorro generoso de aceite en una sartén y freír las tiras de cordero ligeramente saladas hasta que estén bien crujientes. Retirar y reservar.

3 En otra sartén, verter un poco del aceite de oliva de haber frito el cordero y agregar el ajo, el vinagre, el zumo de limón, la salsa Worcestershire, la mostaza, el amaretto, una pizca de sal y otra de pimienta. Dejar hervir a fuego lento, removiendo de vez en cuando, hasta que la salsa emulsione.

4 Colocar las hojas de lechuga, las de espinacas, las tiras de cordero y los tomates en una ensaladera. Regar con la salsa recién sacada del fuego, mezclar bien y servir.

SUGERENCIA DE PRESENTACIÓN

La ensalada puede prepararse un poco antes de comenzar a comer y aliñarla justo en el momento de servirla, para que el contraste de temperaturas encienda aún más a los amantes.

Ensalada del jardín de las delicias

INGREDIENTES

- 2 manzanas

- 1/2 pimiento rojo

- 1/2 pimiento verde

- 20 aceitunas verdes deshuesadas

- Zumo de 1/2 limón

- Perejil

PARA LA VINAGRETA

- Mostaza

- 1/2 cucharada de vinagre de manzana

- 2 cucharadas de aceite de oliva

- Sal

- Pimienta

PREPARACIÓN

1 Pelar las manzanas, quitarles el corazón, trocearlas y regarlas con el zumo de limón. Cortar en tiras el pimiento rojo. Trocear el pimiento verde. Partir las aceitunas.

2 Colocar todos los ingredientes en una ensaladera y mezclar bien.

3 Para preparar la vinagreta, mezclar una pizca de mostaza con el vinagre y el aceite, y aderezar con una pizca de sal y otra de pimienta. Remover hasta que emulsione.

4 Regar la ensalada con la vinagreta y mezclar.

5 Colocar unas hojas de perejil esparcidas sobre la ensalada y una oliva ensartada en unos tallos de perejil.

SUGERENCIA DE PRESENTACIÓN

Si se desea, las hojas de perejil se pueden picar y espolvorear sobre la ensalada.

Ensalada lujuriosa

INGREDIENTES

- 2 manojos de espárragos trigueros

- 12 mejillones

- Caviar rojo

- Caviar negro

- Sal

- Aceite de oliva

- Piel de limón (opcional)

PARA LA VINAGRETA

- 2 cucharadas de aceite de oliva

- 1 cucharadita de zumo de limón

- Sal

PREPARACIÓN

1 Limpiar los espárragos, cortar la parte dura y desecharla. Limpiar los mejillones y quitarles las barbas.

2 Poner a hervir una olla con agua ligeramente salada y, cuando alcance el punto de ebullición, incorporar los espárragos. Cocerlos 5 minutos. Cortar la cocción rápidamente con un baño de agua fría y hielo para que conserven su verdor. Escurrirlos bien y terminar de cocinarlos a la plancha con un hilo de aceite de oliva.

3 Abrir los mejillones al vapor en una cazuela con medio dedo de agua. Después, retirar la carne de las valvas.

4 Montar el plato colocando los espárragos en el centro formando un dibujo y añadir los mejillones de manera que contraste su color. Adornar con unas huevas de caviar rojo y negro.

5 Preparar una vinagreta mezclando el aceite, el zumo de limón y una pizca de sal hasta que emulsione.

6 Regar la ensalada con la vinagreta.

SUGERENCIA DE PRESENTACIÓN

Esta ensalada se puede decorar con unos trozos de piel de limón blanqueada (hervida en agua 2 minutos), que pueden servir para despertar la lujuria del amante.

Ensalada del amor tropical

INGREDIENTES

- 1 pomelo rosa

- 1 mango

- 1 pechuga de pollo

- 10 granos de uva

- Aceite de oliva

PARA LA VINAGRETA

- 2 cucharadas de leche de coco

- 1 cucharadita de vinagre

- Sal

- Pimienta

PREPARACIÓN

1 Pelar el pomelo y el mango y trocearlos. Pelar las uvas y despepitarlas.

2 Cocinar la pechuga de pollo a la plancha con un hilo de aceite, dejar que se enfríe y trocearla.

3 Colocar las uvas en el fondo de una ensaladera. Poner encima los trozos de pomelo y los de mango. Esparcir el pollo por encima.

4 Preparar una vinagreta mezclando la leche de coco con el vinagre, una pizca de sal y una de pimienta. Remover hasta que emulsione.

5 Bañar la ensalada con la vinagreta.

SUGERENCIA DE PRESENTACIÓN

Esta ensalada se puede decorar con unas láminas de mango sin pelar y unos trozos de piel, que le darán color y otorgarán mayor sensualidad al plato. Antes de servir, se pueden remover todos los ingredientes, pero si se hace, se perderá la sorpresa de encontrar en el fondo de la ensalada el corazón de uva.

Aguacates del oasis

INGREDIENTES

- 2 aguacates

- 2 hojas de lechuga muy tiernas

- 4 gambas

- 4 dátiles

- 10 almendras

- Queso crema

- Zumo de 1 limón

- Aceite de oliva

- Sal

- Menta (opcional)

- Cebollino (opcional)

PREPARACIÓN

1 Partir los aguacates por la mitad y quitarles el hueso. Regarlos con el zumo de limón para que no se pongan negros. Picar las hojas de lechuga muy finas. Triturar las almendras.

2 Cocinar las gambas a la plancha con un poco de aceite de oliva y sal. Pelarlas cuando estén frías.

3 Mezclar las hojas de lechuga con las almendras e incorporar 1 o 2 cucharadas de queso crema para hacer una pasta.

4 Rellenar los huecos de los aguacates con la pasta de queso. Colocar un dátil encima y cubrirlo bien con queso crema. Colocar una gamba encima.

SUGERENCIA DE PRESENTACIÓN

Los aguacates se pueden servir bien en platitos individuales o bien en una bandeja, y decorarlos con una ramita de cebollino y una hojita de menta. En el momento de comerlos, las gambas, el queso y la sorpresa que esconden permitirán provocar al amante, que no se imagina qué ingredientes contiene el plato.

Aguacate Nereo

INGREDIENTES

- 1/4 de lechuga

- 2 aguacates

- 100 g de salmón ahumado

- 100 g de gambas cocidas

- 30 g de piñones

- 4 cucharadas de salsa rosa

- Zumo de 1 limón

- Ostras (opcional)

- Almejas (opcional)

- Mejillones (opcional)

PREPARACIÓN

1 Partir los aguacates por la mitad, quitarles el hueso, vaciar las cáscaras y reservarlas; cortar la pulpa en dados y regarla con el zumo de limón. Cortar el salmón ahumado en tiras de unos 2 cm. Lavar la lechuga y cortarla en juliana.

2 Colocar los piñones en el fondo de las cáscaras de aguacate.

3 Disponer los dados de aguacate sobre el fondo de piñones. Poner encima las láminas de salmón, cubrir con una cucharada de salsa rosa y colocar encima las gambas.

4 Cubrir el fondo de la fuente o el plato en que se va a servir con la lechuga y disponer los aguacates encima.

SUGERENCIA DE PRESENTACIÓN

Si se desea dar un toque más erótico al plato, éste se puede acompañar con ostras, almejas y mejillones colocados en los extremos de la fuente.

Tostada para amantes resueltos

INGREDIENTES

- 2 rebanadas de pan de pueblo

- 25 g de rúcula

- 50 g de tomates cherry

- 50 g de champiñones

- Zumo de 1/2 limón

- Aceite de oliva

- Sal

- Aceitunas negras (opcional)

PREPARACIÓN

1 Lavar la rúcula y dejarla secar. Limpiar los champiñones, filetearlos y regarlos con el zumo de limón; dejarlos 30 minutos en su jugo. Cortar los tomates en rodajas.

2 Tostar las rebanadas de pan.

3 Colocar una base de hojas de rúcula sobre las tostadas de pan, cubrirlas con las rodajas de tomate y éstas con las láminas de champiñones. Salar y regar con aceite de oliva al gusto.

SUGERENCIA DE PRESENTACIÓN

Se puede servir sobre un plato decorado con aceitunas negras fileteadas, o bien colocarlas sobre la tostada para dar mayor contraste de color y sabor.

Piña de la tentación

INGREDIENTES

- 1 piña pequeña

- 1/2 lata de maíz pequeña

- 1 mango

- 1/2 aguacate

- 2 palitos de cangrejo

- 200 g de gambas cocidas

- Zumo de 1/2 limón

- Mayonesa

- Sal

- Pimienta

- Mostaza

PREPARACIÓN

1 Partir la piña por la mitad procurando conservar las hojas; extraer la pulpa, cortarla en trozos muy pequeños y reservar el jugo que desprenda. Pelar el aguacate, trocearlo y regarlo con el zumo de limón. Pelar el mango y cortarlo en dados medianos. Trocear los palitos de cangrejo y todas las gambas, menos dos.

2 Mezclar el aguacate, el maíz, las gambas y el cangrejo en un cuenco, y echar la mezcla en el fondo de la piña.

3 Mezclar la mayonesa con el jugo de la piña, una pizca de mostaza, otra de sal y otra de pimienta, y remover bien.

4 Cubrir el contenido de la piña con la mayonesa. Taparlo con los dados de mango, los trozos de piña y alguno de cangrejo. Colocar una de las gambas reservadas sobre cada media piña.

5 Guardar en la nevera hasta el momento de servir.

Tomates de Cupido

INGREDIENTES

- 4 tomates medianos

- 2 cogollos de lechuga

- 200 g de queso de cabra fresco

- 10 pistachos picados

- Aceite de oliva

- Sal

- Pimienta

- Menta fresca (opcional)

PREPARACIÓN

1 Lavar los tomates, cortarles la parte superior, reservarla, y vaciar la pulpa. Colocarlos del revés para que escurran. Pelar los pistachos y trocearlos.

2 Encender el horno a 180 °C.

3 Mezclar el queso de cabra con los pistachos y 4 cucharadas de aceite de oliva.

4 Rellenar los tomates con la pasta de queso, salpimentarlos y regarlos con un hilo de aceite. Taparlos con la parte superior reservada.

5 Hornearlos durante 40 minutos.

6 Deshojar los cogollos y colocarlos en una fuente. Disponer los tomates encima.

SUGERENCIA DE PRESENTACIÓN

Los tomates se pueden servir tapados o bien destapados y adornados con el corazón de los cogollos y con unas hojas de menta.

Monte de Venus

INGREDIENTES

- 125 g de arroz

- 250 ml de caldo vegetal

- 25 ml de vino blanco seco

- 20 g de mantequilla

- 2 pimientos morrones

- 1 yema de huevo

- Zumo de 1/2 limón

- 1 cebolleta

- Aceite de oliva

- Sal

- Albahaca (opcional)

PREPARACIÓN

1 Limpiar los pimientos morrones. Picar la cebolleta muy fina. Batir la yema de huevo. Embadurnar dos flaneras con aceite de oliva.

2 Colocar los pimientos sobre una placa de horno regados con aceite de oliva, salarlos ligeramente y hornearlos a 200 °C durante 40 minutos.

3 Retirar los pimientos una vez estén cocidos. Pelarlos, cortarlos en tiras, regarlos con una cucharadita de aceite de oliva y reservar.

4 Saltear el arroz en una sartén con un poco de aceite, a fuego medio, hasta que se haya tostado ligeramente. Añadir la cebolleta y saltear 2 minutos más. Bajar el fuego, incorporar el vino blanco y esperar a que se evapore el alcohol. Verter el caldo vegetal y dejar que cueza 15 minutos, hasta que el arroz esté hecho pero firme. Añadir la mantequilla y retirar del fuego.

5 Agregar el zumo de limón y la yema de huevo batida y remover enérgicamente. Disponer el arroz caliente en las flaneras; aplastarlo ligeramente para que coja la forma.

6 Desmoldar las flaneras sobre un plato y cubrir el arroz con las tiras de pimiento.

SUGERENCIA DE PRESENTACIÓN

Este plato se puede decorar con unas hojitas de albahaca picadas.

Crema Taj Mahal

INGREDIENTES

- 1 calabacín
- 1/2 manojo de espárragos trigueros
- 1/2 puerro
- 1 patata pequeña
- Sal
- Aceite de oliva

PREPARACIÓN

1 Limpiar el calabacín y cortarlo en rodajas. Picar el puerro muy fino. Limpiar los espárragos, cortar la parte dura, desecharla y trocear el tallo. Pelar y cortar la patata.

2 Poner a hervir una olla con agua ligeramente salada y, cuando alcance el punto de ebullición, incorporar los espárragos. Cocerlos 3 minutos. Cortar la cocción rápidamente con un baño de agua fría y hielo para que conserven su verdor. Escurrirlos bien, guardar el caldo y reservar unas yemas para la decoración del plato.

3 Calentar una cazuela con un poco de aceite de oliva y pochar el puerro. Cuando esté transparente, incorporar el calabacín, los espárragos y la patata. Dejar que cueza hasta que el calabacín haya desprendido su agua, removiendo de vez en cuando.

4 Salar las verduras, cubrir con el caldo de cocer los espárragos y dejar que hierva de 20 a 25 minutos.

5 Rectificar de sal si fuese necesario, regar con un chorrito de aceite de oliva crudo y triturar hasta obtener una crema homogénea.

SUGERENCIA DE PRESENTACIÓN

Se puede verter la crema en cuencos individuales o, si se es más osado, en uno solo y decorar con las yemas de los espárragos.

Almejas de la geisha

INGREDIENTES

- 32 almejas

- 1 trozo de jengibre de 2,5 cm

- 1/2 taza de sake

- 1/8 de taza de vino dulce

- 1 diente de ajo

- Sal

- Cebollino (opcional)

PREPARACIÓN

1 Dejar reposar las almejas en agua salada durante 30 minutos para que desprendan la arena. Pelar el jengibre. Pelar y picar el diente de ajo.

2 Echar el jengibre, el ajo y los dos licores en una cazuela y llevarlos a ebullición. Bajar el fuego y cocinar 2 minutos.

3 Retirar el jengibre, añadir las almejas, tapar la cazuela y cocinar justo hasta que se abran, unos 5 minutos.

4 Servir las almejas inmediatamente regadas con el jugo de la cocción.

SUGERENCIA DE PRESENTACIÓN

El plato se puede adornar con unas tiras de cebollino, o bien desprender la carne de cada una de las almejas y ofrecerla directamente al amante, en su boca, o sobre cualquier otra zona del cuerpo.

Almejas para pecar

INGREDIENTES

- 1 kg de almejas

- 1 cebolla pequeña

- 1/2 cucharada de pimentón dulce

- 1/2 cucharada de perejil picado

- 1/2 cucharada de pan rallado

- Aceite de oliva

- Sal

- Eneldo fresco (opcional)

PREPARACIÓN

1 Dejar las almejas en remojo con agua y sal durante 30 minutos para que desprendan toda la arena que contengan. Pelar y picar la cebolla.

2 Rehogar la cebolla en una sartén con un poco de aceite de oliva. Cuando esté transparente, añadir el pimentón y remover bien. Reservar.

3 Abrir las almejas al vapor en una cacerola, sin agua. En el momento en que el agua que desprendan las almejas comience a hervir, añadir el perejil. Dar un hervor y agregar el sofrito de cebolla y el pan rallado, rectificar de sal si fuera necesario, y dejar cocer unos minutos antes de servir.

SUGERENCIA DE PRESENTACIÓN

Las almejas pueden servirse en una única fuente o en dos platos. Se pueden acompañar con una ramita de eneldo, que dará frescura al plato.

Mejillones del amante ardoroso

INGREDIENTES

- 24 mejillones de roca

- 300 g de tomates maduros

- 1 cebolleta

- 1/2 pimiento verde

- 1 punta de cayena

- Pimentón picante

- Aceite de oliva

- Sal

- Zanahoria en conserva

PREPARACIÓN

1 Limpiar los mejillones por fuera de manera que la concha quede limpia. Quitarles las barbas. Rallar los tomates. Picar la cebolleta muy fina. Cortar el pimiento en trozos muy pequeños.

2 Cocer los mejillones al vapor en una cazuela con un dedo de agua en el fondo. Retirarlos del fuego en cuanto se abran. Colar y reservar el agua de la cocción.

3 Pochar la cebolleta en una sartén con un poco de aceite de oliva caliente. Cuando esté transparente, añadir el pimiento y esperar hasta que se ablande. Agregar el tomate, la cayena, el agua de la cocción de los mejillones y una pizca de sal. Cocer hasta que el agua haya reducido casi por completo. Espolvorear con un poco de pimentón y dejarlo 2 minutos más en el fuego.

4 Retirar las conchas vacías de los mejillones y desecharlas.

5 Montar el plato con la salsa en el centro y los mejillones alrededor. Decorar con unas tiras de zanahoria en conserva.

SUGERENCIA DE PRESENTACIÓN

Si el amante adora el picante, la salsa se puede volcar sobre los mejillones. Se puede incitar al amante mojando el mejillón en la salsa e invitándole a comer directamente de la mano.

Segundos

Gambas del califa

INGREDIENTES

- 24 gambas

- 500 g de sal gorda

- 1 ramita de cebollino

- 1 diente de ajo

- Aceite de oliva

- 1 cucharada de agua

- 1/2 limón

PREPARACIÓN

1 Remojar la sal con el agua.

2 Precalentar el horno a 200 °C.

3 Colocar la mitad de la sal en una fuente para horno. Disponer las gambas encima y taparlas con la sal restante.

4 Hornear las gambas durante 10 minutos.

5 Pelar el diente de ajo y laminarlo. Picar el cebollino. Cortar el limón en rodajas.

6 Saltear el ajo en una sartén con un chorrito de aceite de oliva. Cuando esté dorado, desecharlo. Reservar el aceite.

7 Retirar las gambas del horno, romper la costra de sal y colocar las gambas sobre una fuente.

8 Regar las gambas con el aceite reservado y espolvorear con el cebollino. Decorar con limón.

Bocaditos de Neptuno

INGREDIENTES

- 200 g de salmón ahumado

- 400 g de rape

- 25 g de almendras

- 2 ramitas de estragón

- 1 diente de ajo

- Aceite de oliva

- Sal

Tomates cherry amarillos (opcional)

PREPARACIÓN

1 Salar el rape. Pelar y filetear el diente de ajo. Picar una ramita de estragón.

2 En una sartén con un poco de aceite de oliva, freír ligeramente las almendras, el estragón y el ajo.

3 Volcar el contenido de la sartén en un mortero y machacarlo todo. Si es necesario, agregar un poco más de aceite de oliva.

4 Precalentar el horno a 200 °C.

5 Colocar el pescado sobre una fuente para horno ligeramente engrasada con aceite de oliva. Embadurnar el rape con el majado y hornear unos 15 minutos.

6 Mientras, cortar el salmón en tiras de 5 cm.

7 Retirar el rape del horno, quitarle la espina central y cortarlo en dados de unos 2,5 cm.

8 Enrollar cada dado de rape con una loncha de salmón ahumado.

SUGERENCIA DE PRESENTACIÓN

Estos bocaditos son tentadores y muy sabrosos, dignos del dios de los mares. Se recomienda decorar la fuente en la que se van a servir con una rama de estragón y unos tomates cherry amarillos, que dan contraste de color y de sabor.

Brochetas de rape tentadoras

INGREDIENTES

- 2 lonchas de beicon ahumado

- 2 trozos de rape

- 1/2 pimiento verde

- 1/2 pimiento rojo

- 1 copa de vino blanco seco

- 4 champiñones

- Aceite de oliva

- Eneldo (opcional)

PREPARACIÓN

1 Cortar el rape en trozos de unos 2 cm. Sumergirlos en el vino blanco y dejarlos macerar 1 hora.

2 Trocear los pimientos y limpiar los champiñones. Cortar las lonchas de beicon por la mitad.

3 Ensartar las verduras, el rape y el beicon en dos brochetas jugando con los colores. Por ejemplo, colocar los trozos de los diferentes ingredientes en este orden: beicon, rape, pimiento verde, rape, pimiento rojo, un champiñón, rape, otro champiñón, pimiento rojo, rape, pimiento verde y, para terminar, beicon.

4 Calentar aceite en una sartén y dorar las brochetas hasta que el beicon coja color.

SUGERENCIA DE PRESENTACIÓN

Las brochetas se pueden decorar con unas ramitas de eneldo. Y, si se desea, se puede tentar al amante ofreciéndosela con los dedos para que la muerda directamente.

Salmón de Eros

INGREDIENTES

- 2 filetes de salmón de 200 g

- 2 tiras de beicon

- 1/2 puerro

- 1/2 zanahoria

- 1/2 cebolla

- 1 ramillete de hierbas

- 1 diente de ajo

- 50 g de champiñones

- 1 vaso de vino blanco seco

- 1/2 copa de coñac

- Aceite de oliva

- Pimienta

- Sal

- Berros (opcional)

PREPARACIÓN

1 Cortar el puerro en rodajas. Pelar la zanahoria y cortarla también en rodajas. Cortar el beicon en tiras de 2 cm. Picar la cebolla. Pelar y majar el diente de ajo. Limpiar y filetear los champiñones.

2 Calentar aceite en una cacerola y rehogar el puerro. Cuando tenga color, agregar los filetes de salmón, salados, y dorarlos por ambos lados. Verter el coñac y flambear. Reservar.

3 Calentar un poquito de aceite en otra cacerola y añadir el beicon, la zanahoria, la cebolla y el ramillete de hierbas. Sofreírlo todo y añadir el ajo. Salpimentar y dejar cocer 15 minutos.

4 Volcar el sofrito sobre el salmón, bañarlo con el vino, volver a poner la cacerola en el fuego y cocer durante 20 minutos, a fuego lento.

5 Saltear los champiñones en una sartén con un poco de aceite.

6 Colocar el salmón, solo, en el centro de un plato y acompañarlo por los champiñones, unas tiras de beicon y unas rodajas de zanahoria.

SUGERENCIA DE PRESENTACIÓN

El plato se puede decorar con unas tiras de zanahoria cruda y unas hojas de berros cortadas en juliana.

Caldereta de los enamorados hambrientos

INGREDIENTES

- 400 g de rape

- 12 gambas

- 24 almejas

- 1 cebolla pequeña

- 3 dientes de ajo

- 500 ml de caldo de pescado

- 3 cucharadas de tomate frito

- 30 piñones

- 10 almendras

- Harina

- Aceite de oliva

- Sal

PREPARACIÓN

1 Pelar los dientes de ajo y laminarlos todos menos uno. Pelar y picar la cebolla. Salar y enharinar el rape. Colocar las almejas en un cuenco con agua salada, durante 30 minutos, para que desprendan la arena que tengan. Calentar el caldo de pescado.

2 Freír el rape con aceite de oliva en una cazuela de barro. Reservar aparte.

3 En la misma cazuela, sofreír la cebolla y los dientes de ajo laminados.

4 Mientras, preparar un majado con las almendras, el diente de ajo restante y una pizca de sal.

5 Cuando la cebolla esté bien dorada, añadir 1 cucharada de harina a la cazuela y rehogarla para que tome color. Verter el caldo de pescado caliente, el tomate frito y el majado. Dejar reducir a la cuarta parte.

6 Incorporar el pescado a la cazuela y añadir las almejas bien escurridas, las gambas y los piñones. Dejar que cueza, a fuego medio, sin parar de mover la cazuela en semicírculos, hasta que las almejas se hayan abierto.

SUGERENCIA DE PRESENTACIÓN

Esta caldereta puede servirse tanto en platos individuales, como en la misma cazuela de barro.

Pollo del amante arrollador

INGREDIENTES

- 2 pechugas de pollo

- 125 g de nueces peladas

- 1 cebolla pequeña

- 1/2 copa de coñac

- 1 cucharada de canela molida

- 1/4 de taza de leche

- 1/4 de taza de caldo de pollo

- Miga de 2 rebanadas de pan

- Sal

- Pimienta negra molida

- Aceite de oliva

- Zanahoria en conserva (opcional)

- Puerro en conserva (opcional)

- Cebollino (opcional)

PREPARACIÓN

1 Abrir las pechugas por la mitad. Pelar y picar la cebolla bien fina. Remojar la miga de pan en la leche. Hervir las nueces con un poco de agua durante 30 minutos, escurrirlas, trocearlas y reservarlas.

2 Calentar aceite en una sartén y pochar la cebolla. Cuando esté transparente, añadir casi todas las nueces y cocer durante 2 minutos. Agregar la miga de pan, espolvorear con la canela y remover bien para formar una masa compacta.

3 Precalentar el horno a 180 °C.

4 Salpimentar las pechugas de pollo, untar su superficie externa con aceite de oliva y rellenarlas con el preparado anterior. Colocarlas en una bandeja para horno previamente aceitada y regarlas con el caldo de pollo y el coñac. Hornear durante 30 minutos, rociando de vez en cuando las pechugas con el jugo de la cocción.

5 Servir las pechugas en platos espolvoreadas con las nueces que no se han usado para el relleno.

SUGERENCIA DE PRESENTACIÓN

El plato se puede presentar regado con el jugo de la cocción y acompañado de unas tiras de zanahoria y puerro en conserva, y unas ramitas de cebollino.

Pollo amoroso con salsa de pétalos de rosa

INGREDIENTES

- 4 muslos de pollo

- 1/2 vaso de vino blanco

- Canela molida

- Azúcar

- Pétalos de rosa

- Aceite de oliva

- Sal

- Hoja de rosa (opcional)

PREPARACIÓN

1 Limpiar el pollo, secarlo con un paño y salarlo.

2 Freír el pollo, en una cazuela, con aceite de oliva, hasta que hayan cerrado los poros completamente.

3 Añadir a la cazuela una pizca de canela, otra de azúcar, unos pétalos de rosa y el vino blanco. Cocer durante 30 minutos.

4 Retirar el pollo de la cazuela y colocarlo sobre una fuente o en el plato en el que se vaya a servir.

5 Triturar la salsa y regar con ella el pollo.

SUGERENCIA DE PRESENTACIÓN

Se puede adornar el plato con unos pétalos y con una hoja de rosa. Los pétalos de rosa y su suavidad pueden facilitar el inicio del juego amoroso.

Capricho sensual de pollo

INGREDIENTES

• 2 pechugas de pollo deshuesadas y
cortadas en filetes

• Zumo de 1/2 limón

• 1 ramita de cebollino

• 25 g de dulce de membrillo

• Sal

• Pimienta

• Aceite de oliva

• Zanahoria (opcional)

PREPARACIÓN

1 Colocar las pechugas sobre un plato, salpimentarlas, bañarlas con el zumo de limón y regarlas con un chorro de aceite de oliva. Dejarlas macerar 90 minutos en la nevera.

2 Verter un poco del jugo de la maceración en una sartén, calentarlo a fuego medio y cocer las pechugas de pollo hasta que estén al punto.

3 Picar el cebollino. Cortar el dulce de membrillo en tiras.

4 Colocar los filetes de pollo sobre una fuente, regarlos con un poco del jugo de la maceración y espolvorearlos con el cebollino. Acompañar el pollo con los trozos de dulce de membrillo.

SUGERENCIA DE PRESENTACIÓN

Los trozos de dulce de membrillo se pueden colocar al lado de los filetes de pollo y adornados con unas tiras de zanahoria, o bien pueden servir de base para colocar los caprichos y aumentar el contraste de sabor del plato.

Tentación carnal agridulce

INGREDIENTES

- 300 g de tiritas de cordero

- 1 cebolla

- 150 ml de vinagre

- 150 ml de agua

- 40 g de azúcar

- Aceite de oliva

- Sal

- Pimienta negra

PREPARACIÓN

1 Salpimentar las tiritas de cordero. Picar la cebolla bien fina.

2 Freír la carne en una cazuela con un poco de aceite de oliva a fuego fuerte.

3 Cuando la carne esté dorada, retirarla, bajar el fuego al mínimo y pochar la cebolla.

4 Añadir el vinagre, el agua y el azúcar. Dejar cocer a fuego medio removiendo frecuentemente para que el azúcar no se pegue ni se queme, hasta que haya reducido una tercera parte.

5 Agregar las tiritas de cordero y dar un último hervor.

6 Retirar la carne de la cazuela, colocarla en una fuente y triturar la salsa.

SUGERENCIA DE PRESENTACIÓN

La salsa se puede servir en una salsera aparte o bien se puede bañar con ella las tiritas de cordero.

Pecado picante de ternera

INGREDIENTES

- 250 g de solomillo de ternera

- 100 ml de leche de coco

- 50 g de cacahuetes pelados

- 1 cebolla

- 2 dientes de ajo

- 1 trozo de jengibre de 2 cm

- Piel de 1/2 limón

- 7 hojas de espinacas

- 1 chile fresco

- 1 cucharada de azúcar

- 1 cucharadita de salsa de soja

- Aceite de oliva

- Sal

PREPARACIÓN

1 Pelar la cebolla, los dientes de ajo y el jengibre. Trocearlos y triturarlos junto con la piel de limón y la mitad de la leche de coco, hasta obtener una crema bien fina.

2 Triturar los cacahuetes, un chile y las hojas de espinacas.

3 Verter la leche de coco restante en una cazuela. Cuando empiece a hervir, añadir el chile, las espinacas, los cacahuetes, la salsa de soja y el azúcar. Dejar que cueza 20 minutos.

4 Pasado este tiempo, agregar la crema a la cazuela y cocer 20 minutos más.

5 Mientras, cocinar la ternera ligeramente salada en una sartén con un poco de aceite, hasta que esté al punto.

6 Servir el plato con la salsa en el fondo y la carne, recién hecha, por encima.

Migas para sibaritas de la pasión

INGREDIENTES

- 4 huevos de codorniz

- 2 lonchas de panceta ibérica

- 2 dientes de ajo

- 250 g de pan del día anterior

- Aceite de oliva

- Pimentón

- Tomillo

- Orégano

- Sal

- Eneldo fresco (opcional)

PREPARACIÓN

1 Cortar la miga de pan en trozos pequeños. Salarla y dejarla en remojo, tapada con un paño húmedo, durante 2 horas.

2 Pelar los dientes de ajo y filetearlos. Cortar la panceta en trozos pequeños.

3 Dorar el ajo en una sartén con un poco de aceite de oliva (es preferible que la sartén sea honda). Añadir la panceta y cocinarla hasta que esté bien hecha. Agregar las migas y remover hasta que tengan color y hayan perdido humedad. Espolvorear con pimentón y seguir removiendo para evitar que se queme. Añadir una pizca de orégano y otra de tomillo. Mezclar bien y retirar del fuego.

4 Colocar las migas en dos platos individuales.

5 Freír los huevos de codorniz de dos en dos y colocar dos sobre cada montón de migas.

SUGERENCIA DE PRESENTACIÓN

Se puede decorar el plato con unas ramitas de eneldo fresco.

Postres

Sorbete rojo pasión

INGREDIENTES

- 250 g de fresones

- 1 naranja de zumo

- 50 g de azúcar

- 60 ml de agua

- Canela molida

- Hielo

PREPARACIÓN

1 Lavar los fresones y cortarlos en cuartos. Exprimir la naranja. Rallar 1/4 de piel de naranja.

2 Triturar los fresones junto con el zumo de naranja en un vaso de batidora.

3 Calentar el agua hasta que esté a punto de romper a hervir. Retirar del fuego.

4 Agregar el azúcar y la ralladura de naranja al agua caliente. Cocer en el microondas durante 4 minutos a la máxima potencia. Dejar que se enfríe.

5 Mezclar el preparado de agua, azúcar y naranja con el puré de fresones. Agregar una pizca de canela y batir bien. Guardar en la nevera.

6 Triturar unos cubitos de hielo y volcarlos en copas de cóctel. Verter el preparado y servir inmediatamente.

SUGERENCIA DE PRESENTACIÓN

Las copas se pueden decorar con azúcar en los bordes, lo que, además, puede dar mucho juego en el momento de beberlo en pareja. Para que el azúcar se pegue a los bordes de la copa, basta con humedecerlos con limón y, acto seguido, dejar rodar la copa sobre el azúcar, dispuesto sobre una superficie plana, para que se pegue. Este postre también se puede adornar con tiras de piel de naranja y un fresón.

Mousse del deseo

INGREDIENTES

- 125 g de fresas

- 125 g de frambuesas

- 2 huevos

- 60 g de queso fresco

- 30 g de azúcar

- Melón o pera (opcional)

- Menta (opcional)

PREPARACIÓN

1 Triturar las fresas y las frambuesas. Separar las claras de las yemas.

2 Mezclar el puré de fruta con el queso fresco hasta obtener una pasta uniforme y reservar.

3 Calentar el azúcar y las yemas en un recipiente al baño maría y batir hasta obtener una crema blanquecina. Retirar del fuego.

4 Incorporar la crema de huevo a la pasta de fruta y queso.

5 Batir las claras a punto de nieve y añadirlas a la crema, con movimientos envolventes, procurando que no se bajen.

6 Volcar la mousse en copas individuales y reservar en la nevera hasta el momento de servir.

SUGERENCIA DE PRESENTACIÓN

Esta mousse se puede decorar con trozos de melón o de pera, una fresa o una frambuesa encima y unas hojas de menta. Si se desea provocar la pasión del amante, se pueden utilizar los trozos de fruta como cucharas, así el contraste de sabor entre potentes afrodisiacos hará que éstos actúen antes.

Manzanas de Eva

INGREDIENTES

- 2 manzanas ácidas

- 2 cucharadas de azúcar

- Zumo de 1/2 naranja

- Zumo de 1/4 de limón

- 1 clara de huevo

- Mantequilla

- Arándanos (opcional)

- Pasas (opcional)

PREPARACIÓN

1 Cortar las manzanas por la mitad, quitarles el corazón y rallarlas.

2 Echar la manzana rallada en un cuenco e incorporar el zumo de naranja y el de limón.

3 Añadir 1 1/2 cucharadas de azúcar y triturarlo todo.

4 Dejarlo reposar 1 hora en la nevera.

5 Montar la clara a punto de nieve firme con el resto del azúcar.

6 Añadir la clara cuidadosamente al puré de manzana.

7 Embadurnar 2 moldes individuales con mantequilla y rellenarlos con la mousse de manzana.

8 Dejar reposar en la nevera hasta el momento de servir.

SUGERENCIA DE PRESENTACIÓN

Desmoldar las mousses de manzana en el plato en el que se vayan a servir y decorar con unos trozos de manzana verde, arándanos y unas pasas.

Gelatina del bosque erótico

INGREDIENTES

- 100 g de arándanos

- 130 ml de leche

- 1 cucharada de azúcar

- 1 yema de huevo

- 1 cucharada de agua

- 1 cucharadita de gelatina neutra en polvo

- 1/2 cucharadita de maicena

- Sal

- Coco rallado (opcional)

- Menta (opcional)

PREPARACIÓN

1 Echar los arándanos en un cazo con el agua y cocerlos a fuego lento hasta que estén tiernos.

2 Dejarlos enfriar, triturarlos y guardar el puré.

3 En otro cazo, mezclar la leche, el azúcar, la maicena, la yema de huevo y una pizca de sal. Cocer a fuego lento, sin parar de remover, hasta que espese.

4 Retirar del fuego y añadir la gelatina. Remover hasta que esté bien disuelta.

5 Mezclar el preparado con el puré de arándanos y dejar que se enfríe a temperatura ambiente.

6 Colocar esta preparación en la copa en la que se vaya a servir y dejar reposar en la nevera un mínimo de 6 horas.

SUGERENCIA DE PRESENTACIÓN

Espolvorear con coco rallado antes de servir y decorar con unos arándanos frescos y unas hojas de menta.

159

Naranjas de la pasión heladas

INGREDIENTES

- 4 naranjas pequeñas

- 6 rodajas de piña al natural

- 4 cerezas confitadas

- 175 g de azúcar glas

- 1 1/2 cucharadas de agua

- 1 cucharada de jerez

- 1/2 vaso de jugo de piña al natural

- Menta (opcional)

PREPARACIÓN

1 Pelar las naranjas, separar los gajos y eliminar los hilos blancos. Trocear las rodajas de piña.

2 Verter el agua en un cazo e incorporar el azúcar. Llevar a ebullición y no parar de remover con una cuchara de madera hasta que se forme un almíbar.

3 Pinchar los gajos de naranja, uno a uno, con una aguja y sumergirlos en el almíbar durante 1 minuto. Escurrirlos y colocarlos sobre una fuente.

4 Mezclar el jerez con el jugo de piña y agregarlo al resto del almíbar. Ponerlo de nuevo en el fuego y dejar espesar a fuego lento, sin parar de remover con la cuchara de madera hasta que la mezcla se vuelva consistente.

5 Derramar el almíbar sobre los gajos de naranja. Adornar el resto de la fuente con los trozos de piña y con las guindas. Guardar en el congelador hasta el momento de servir.

SUGERENCIA DE PRESENTACIÓN

Este postre se puede decorar con unas hojas de menta y servir acompañado de unas brochetas para que el amante pinche de su plato o del nuestro.

Naranjas de Sherezade

INGREDIENTES

- 2 naranjas pequeñas

- 3 cucharadas de agua

- 1 cucharada de azúcar

- 1 rodaja de carambola

- Aguardiente de albaricoque

- Menta

PREPARACIÓN

1 Pelar las naranjas, desgajarlas, quitarles todos los filamentos blancos y dejarlas macerar en el aguardiente de albaricoque unos 30 minutos.

2 Volcar las naranjas en una cacerola y flambearlas.

3 Verter el agua en un cazo, incorporar el azúcar y hervir hasta obtener un almíbar.

4 Colocar los gajos de naranja sobre un plato, regarlos con el almíbar y decorar con la rodaja de carambola y unas hojas de menta.

Naranjas de los dioses

INGREDIENTES

- 2 naranjas

- 300 g de azúcar

- Zumo de 1/2 limón

- 150 ml de agua

PARA LA COBERTURA

- 75 g de chocolate negro con 70% de cacao

- 1/2 taza de café

- 25 g de azúcar

PREPARACIÓN

1 Cortar las naranjas en rodajas.

2 Mezclar el agua con el azúcar y llevar a ebullición. Cuando el azúcar comience a derretirse y a formar almíbar, introducir en él las naranjas y dejarlas hervir hasta que el almíbar quede como miel líquida, pero no sea demasiado denso.

3 Retirar del fuego y añadir el zumo de limón. Dejar reposar durante 24 horas.

4 Después del reposo, hervir durante 45 minutos más y dejar enfriar.

5 Escurrir las naranjas sobre una rejilla para que se sequen.

6 Trocear el chocolate.

7 Derretir el chocolate al baño maría y, una vez fundido, añadir el azúcar y verter el café. Remover bien para que se confundan los sabores y retirar del fuego.

8 Sumergir las rodajas de naranja, una a una, en el chocolate hasta que éste cubra unos 2/3 de cada rodaja. Retirar las naranjas, escurrirlas y colocarlas sobre una fuente.

9 Guardar en la nevera un mínimo de 1 hora para que la cobertura se endurezca.

Mandarinas en lecho excitante

INGREDIENTES

- 2 kiwis

- 2 mandarinas

- Zumo de 1/2 limón

- 2 cucharadas de azúcar

- 2 cucharadas de agua

- 4 hojas de menta

- Azúcar moreno

PREPARACIÓN

1 Pelar las mandarinas y separar los gajos. Pelar los kiwis y cortarlos en trozos.

2 Echar el agua y el azúcar en un cazo, cocer a fuego medio y, cuando se empiece a caramelizar, introducir los gajos de mandarina de uno en uno durante 30 segundos. Retirarlos y reservarlos.

3 Mezclar los kiwis con el zumo de limón, un poco de azúcar moreno al gusto y 2 hojas de menta. Triturar hasta obtener una salsa fina.

4 Colocar un lecho de salsa en el fondo de una fuente y disponer los gajos de mandarina encima. Decorar con otras 2 hojas de menta.

5 Guardar en el frigorífico hasta el momento de servir.

Higgos del dulce amor

INGREDIENTES

- 10 higos

- 450 ml de agua

- 1 taza de azúcar

- 1 palito de canela

- Sal

- 2 alquequenjes (opcional)

- Chocolate negro (opcional)

PREPARACIÓN

1 Pelar los higos y enjuagarlos ligeramente en un recipiente hondo con agua y sal.

2 Escurrirlos y disponerlos en una olla con los 450 ml de agua y el palito de canela. Tapar y cocer durante 20 minutos.

3 Incorporar el azúcar y cocinar a fuego medio, ahora con la olla destapada, hasta que se forme un ligero almíbar.

4 Dejar reposar los higos en la olla hasta el momento de servir.

SUGERENCIA DE PRESENTACIÓN

Para montar el plato, colocar los higos en el centro, uno sobre otro, y bañarlos con el almíbar. Se puede decorar el plato con chocolate negro rallado y alquequenjes si se desea.

Plátanos de Tarzán y Jane

INGREDIENTES

- 4 plátanos pequeños

- 30 g de mantequilla

- 1 rama de paloduz

- Puré de plátano (opcional)

- Fresas silvestres (opcional)

PARA LA COBERTURA

- 50 g de chocolate negro de cobertura

- 15 g de mantequilla

- Coco rallado

PREPARACIÓN

1 Derretir la mantequilla en una sartén sin dejar que hierva.

2 Incorporar la rama de paloduz para que dé sabor, freír los plátanos en la mantequilla y reservarlos.

3 Para preparar la cobertura, trocear el chocolate y derretirlo en el microondas (o al baño maría), y añadir la mantequilla. Remover bien.

4 Bañar los plátanos hasta la mitad en el chocolate derretido.

5 Espolvorear la parte bañada en chocolate con el coco rallado.

SUGERENCIA DE PRESENTACIÓN

Los plátanos se pueden servir todos juntos o bien de dos en dos. El plato se puede acompañar con un poco de puré de plátano y colocar dos fresitas como decoración, que además le darán frescura y color.

Abrazo de la pasión

INGREDIENTES

- 1 cucharadita de mantequilla

PARA LAS CREPES

- 250 ml de leche
- 75 g de harina
- 25 g de azúcar
- 1 huevo
- 1 yema de huevo
- 1 cucharada de aceite de oliva
- 1 pizca de sal

PARA EL RELLENO

- 1 mango
- 2 naranjas de zumo
- 25 g de azúcar
- 15 g de mantequilla

PARA LA SALSA

- 20 g de azúcar
- 50 g de chocolate negro
- 10 g de cacao en polvo
- 1 cucharadita de Grand Marnier

PREPARACIÓN

1 Para preparar la pasta de las crepes echar todos los ingredientes en el vaso de la batidora y batir hasta obtener una masa uniforme. Dejarla reposar 30 minutos en la nevera.

2 Derretir la mantequilla en una sartén, a fuego medio, y volcar un cucharón de pasta sobre ella. Dejar que la pasta cambie de color y adquiera consistencia antes de darle la vuelta y hacerla por el otro lado. Reservar y repetir la operación hasta terminar la pasta.

3 Para elaborar la salsa, trocear el chocolate y fundirlo al baño maría. Añadir el azúcar, el cacao en polvo y el licor. Mezclar hasta que esté todo bien disuelto. Retirar del fuego y reservar.

4 Para preparar el relleno, exprimir las naranjas, mezclar el zumo con la mantequilla y el azúcar, y verterlo en una sartén al fuego. Dejar reducir a la mitad. Pelar el mango, cortarlo en tiras y agregarlo a la sartén hasta que se caramelice. Retirar.

5 Rellenar las crepes con el mango y cerrarlas. Regarlas con la salsa de chocolate y servir recién hechas.

Bañera del placer

INGREDIENTES

- 100 g de chocolate negro para fundir con 70% de cacao

- 100 ml de nata líquida para montar

- 200 g de fresones

- 30 g de azúcar moreno

- 1 copita de Grand Marnier

- 1 galleta de jengibre

PREPARACIÓN

1 Trocear el chocolate. Limpiar los fresones y quitarles los rabitos verdes.

2 Derretir el chocolate en el microondas o al baño maría. Si se elige derretirlo al baño maría, retirarlo del fuego cuando esté fundido.

3 Añadir el azúcar y la copa de licor al chocolate, mientras aún esté caliente, y remover bien para que se mezclen completamente.

4 Montar la nata e incorporarla al chocolate, lentamente, procurando que ambos ingredientes se amalgamen.

5 Volcar el chocolate sobre una fuente alargada.

6 Ensartar los fresones en unas brochetas y colocarlos sobre la bañera de chocolate justo antes de servir, acompañados con una galleta de jengibre.

SUGERENCIA DE PRESENTACIÓN

La galleta de jengibre se puede decorar con un trozo de fresón que se puede obsequiar al amante bañándolo previamente en el chocolate.

Pecado de chocolate a la menta con nueces

INGREDIENTES

- 100 g de chocolate negro con 70% de cacao

- 100 g de nueces

- 2 huevos

- 40 g de azúcar

- 25 g de mantequilla

- 1/2 copa de licor de menta

- Naranja (opcional)

- Menta (opcional)

PREPARACIÓN

1 Trocear el chocolate. Separar las yemas de las claras. Triturar las nueces.

2 Derretir el chocolate al baño maría. Cuando esté derretido, incorporar la mantequilla y el licor de menta y remover.

3 Batir las yemas de huevo con el azúcar hasta conseguir una pasta blanca. Añadirla al chocolate y remover lentamente hasta obtener una pasta uniforme. Retirar del fuego y agregar las nueces.

4 Montar las claras a punto de nieve y, cuando el chocolate esté frío, incorporarlas con mucho cuidado para evitar que se bajen.

5 Volcar el chocolate en cuencos individuales y dejar enfriar en el frigorífico un mínimo de 2 horas.

6 Servir bien frío.

SUGERENCIA DE PRESENTACIÓN

Este delicioso pecado se puede decorar con 1/2 rodaja de naranja, 1/2 nuez encima y unas hojas de menta, que le darán frescura. Además, la nuez puede ser el principal elemento para incitar a pecar al amante si se utiliza como cuchara.

Galletas de la tentación

INGREDIENTES

- 120 g de mantequilla

- 120 g de azúcar

- 2 cucharadas de azúcar avainillado

- 1 huevo

- 130 g de harina

- 1 cucharadita de levadura en polvo

- 100 g de chocolate negro

- Azúcar glas (opcional)

- Sirope de caramelo (opcional)

PREPARACIÓN

1 Dejar que la mantequilla se ablande a temperatura ambiente antes de utilizarla. Rallar el chocolate.

2 Batir la mantequilla con el azúcar y el azúcar avainillado hasta obtener una pasta uniforme.

3 Incorporar el huevo a la pasta y añadir la harina, tamizada, la levadura y el chocolate. Remover bien hasta conseguir una masa homogénea.

4 Forrar una placa de horno con papel sulfurizado. Precalentar el horno a 200 °C.

5 Colocar cucharadas de masa sobre la placa de horno y hornear de 7 a 8 minutos, hasta que las galletas estén cocidas.

6 Dejarlas enfriar antes de servir.

SUGERENCIA DE PRESENTACIÓN

Servir las galletas sobre un platito o una fuente espolvoreadas con azúcar glas y adornar el plato o la fuente con unos hilos de sirope de caramelo.

Bebidas

Batido de lujuria tropical

PREPARACIÓN

1 Pelar los pistachos y desechar las cáscaras.

2 Triturar los pistachos junto con el azúcar, el cardamomo y la canela hasta obtener un polvo muy fino.

3 Verter la leche en un vaso de batidora. Añadir el polvo de pistacho especiado con azúcar y batir hasta conseguir una mezcla espumosa.

4 Echar cubitos de hielo al gusto en las copas en las que se vaya a servir el batido.

5 Verter la leche de coco especiada en las copas.

6 Decorar con unas hojas de menta.

SUGERENCIA DE PRESENTACIÓN

Si se desea, este batido se puede decorar con polvo de pistacho espolvoreado por encima o con una pizca de canela molida. El hielo, además, se puede triturar para convertir el batido en un granizado.

INGREDIENTES

- 750 ml de leche de coco

- 75 g de pistachos

- 50 g de azúcar

- 1/4 de cucharadita de canela molida

- 1/4 de cucharadita de cardamomo

- Hielo

- Menta

Amrus

INGREDIENTES

- 3 mangos

- 100 ml de leche

- 1 cucharada de azúcar

- Pimienta negra

PREPARACIÓN

1 Pelar los mangos y trocearlos.

2 Echar el mango, la leche y el azúcar en el vaso de la batidora. Mezclar bien hasta obtener una crema uniforme.

3 Verter en una copa y espolvorear con pimienta negra.

SUGERENCIA DE PRESENTACIÓN

Decorar con un trozo de mango.

Vino especiado

PREPARACIÓN

1 Dejar macerar durante 1 semana el vino con las especias en la nevera.

2 Filtrar el vino antes de servirlo.

SUGERENCIA DE PRESENTACIÓN

Se puede servir en copas de vino con una vaina de vainilla.

INGREDIENTES

- 500 ml de vino

- 10 g de canela molida

- 15 g de ginseng

- 7 g de vainilla

- 1 vaina de vainilla (opcional)

Tarzán

INGREDIENTES

• 200 ml de tequila blanco

• 200 ml de agua

• 40 g de zanahoria

• 25 g de apio

• 25 g de lechuga

• 1 tomate

• Hielo

• Perejil fresco (opcional)

PREPARACIÓN

1 Limpiar bien las verduras y trocearlas.

2 Echar todos los ingredientes en el vaso de la batidora con unos cubitos de hielo al gusto y triturar hasta obtener un líquido uniforme. Añadir tanta agua como sea necesario.

3 Colar el cóctel y verterlo en una copa balón.

SUGERENCIA DE PRESENTACIÓN

Decorar con unas hojas de perejil.

Éxtasis

PREPARACIÓN

1 Dejar reposar todas las bebidas en la nevera hasta justo antes de comenzar la preparación.

2 Mezclar el mezcal, la cola, un chorro de cerveza, otro de limón y una pizca de sal en un vaso largo.

SUGERENCIA DE PRESENTACIÓN

El vaso se puede decorar con unas tiras de piel de limón.

INGREDIENTES

- 200 ml de mezcal
- 200 ml de cola
- Cerveza
- Zumo de limón
- Sal
- Piel de limón (opcional)

Espuma dorada

INGREDIENTES

- 200 ml de cerveza

- 200 ml de cava

- Licor de melón

PREPARACIÓN

1 Reservar todos los licores en la nevera hasta el momento de preparar la bebida para que estén bien fríos.

2 Verter en cada una de las copas la mitad de la cerveza primero, luego la mitad del cava y después un poco de licor de melón al gusto.

3 No remover para no hacer demasiada espuma.

SUGERENCIA DE PRESENTACIÓN

Se puede acompañar de una pajita para dar un toque de color... y sensualidad.

Barracuda

PREPARACIÓN

1 Llenar la coctelera con hielo.

2 Verter el ron, el jugo de piña, un chorro de zumo de limón y otro de licor de melón. Agregar azúcar al gusto y mezclar bien.

3 Servir en una copa ancha y verter un chorrito de cava bien frío al gusto.

INGREDIENTES

- 300 ml de ron blanco

- 150 ml de jugo de piña

- Zumo de limón

- Licor de melón

- Cava

- Azúcar

- Hielo

Oro negro líquido

INGREDIENTES

- 240 ml de crema de licor Amarula

- 120 ml de vodka

- 40 ml de crema de cacao

- Hielo

PREPARACIÓN

1 Enfriar todos los licores en la nevera antes de utilizarlos.

2 Verterlos en una coctelera con hielo y agitar bien.

3 Colar el cóctel antes de servirlo.

SUGERENCIA DE PRESENTACIÓN

Esta bebida se puede decorar con unas virutas de chocolate que realzarán su sabor.

Orange Blossom

PREPARACIÓN

1 Llenar una coctelera con hielo y verter las bebidas; echar curaçao al gusto. Agitar bien.

2 Colar el cóctel antes de servirlo.

SUGERENCIA DE PRESENTACIÓN

Se puede servir el cóctel en un vaso mediano con un poco de hielo.

INGREDIENTES

• 270 ml de tequila

• 130 ml de zumo de naranja

• Curaçao

• Hielo

Té de menta

INGREDIENTES

- 2 tazas de agua

- 3 terrones de azúcar

- 1 cucharada de té verde

- 2 hojas de menta

PREPARACIÓN

1 Llenar una tetera con el agua, el azúcar y el té. Dejar que hierva 30 minutos y retirar del fuego.

2 Agregar las hojas de menta a la tetera y esperar que repose unos 5 minutos.

3 Servir en un vaso largo con las hojas de menta.

SUGERENCIA DE PRESENTACIÓN

Este té puede tomarse caliente en invierno o bien frío en verano.

Índice alfabético de recetas

A

B

C

η

O

P

S

T

V

Z